☆ Marilou Addison ☆

Le journal de Dylane

Barbe à papa rose

Catalogage avant publication de Bibliothèque et Archives
nationales du Québec et Bibliothèque et Archives Canada

Addison, Marilou, 1979-

    Le journal de Dylane

    Sommaire : 3. Barbe à papa rose.
    Pour les jeunes de 13 ans et plus.

    ISBN 978-2-89709-105-7 (vol. 3)

    I. Addison, Marilou, 1979- . Barbe à papa rose. II. Titre.

PS8551.D336S56 2015   jC843'.6   C2015-940666-8
PS9551.D336S56 2015

7ᵉ impression : août 2019

Auteure : Marilou Addison
Couverture, illustrations et mise en pages : Julie Deschênes

Dépôt légal — Bibliothèque et Archives nationales du Québec,
1ᵉʳ trimestre 2016

ISBN 978-2-89709-105-7

Gouvernement du Québec — Programme de crédit d'impôt
pour l'édition de livres — Gestion SODEC

Boomerang éditeur jeunesse remercie la SODEC pour l'aide
accordée à son programme éditorial.

Financé par le
gouvernement
du Canada

Dylane, quand je perds le souffle
et l'énergie pour écrire, je pense à
toi et à ta famille. Et je continue,
comme tu le fais chaque jour...

Qui est dans la vie de DYLANE ???

Dylane

Quatorze ans, pleine d'énergie, qui ne demande pas mieux que de s'amuser sans se casser la tête. Joueuse de tennis, elle s'entraîne plusieurs fois par semaine dans le but de se classer sur la liste des joueurs professionnels. Elle a trois grands frères (Antony, Frédéric et Sébastien) avec qui elle se chamaille, se réconcilie et à qui elle se confie à ses heures. Ses parents sont divorcés et sa mère habite à New York, où elle vit avec son nouvel amoureux et le fils de celui-ci. Dylane adooore les boissons sucrées comme la sloche à la framboise bleue et le chocolat chaud à la guimauve. Son patois favori : *cream puff!*

Colin

Meilleur ami de Dylane. Ou en tout cas, son ex-ex-meilleur ami. Jusqu'à ce qu'ils se reparlent de nouveau. (Ils sont incapables de rester éloignés

bien longtemps.) D'ailleurs, Dylane a toujours ressenti un petit quelque chose pour Colin... Mais ça, c'est une autre histoire! Les deux amis habitent près l'un de l'autre et s'entraînent souvent ensemble. Ils ont des tas de points en commun.

Mirabelle

C'est la cousine ultra féminine de Dylane. Elle vient de déménager dans le quartier et depuis, elle s'est mis dans la tête de transformer le look de Dylane. Mirabelle s'intéresse beaucoup aux garçons et ceux-ci le lui rendent bien, habituellement... Mais la jeune fille a aussi le don de manipuler sa cousine pour atteindre ses buts.

Annabelle

Un peu granola sur les bords, Annabelle est devenue amie avec Dylane alors que cette dernière s'était disputée avec Mirabelle. Annabelle est allergique à plusieurs produits (dont le maquillage!) et c'est pourquoi sa famille est devenue végétalienne. Elle apporte à Dylane un peu d'équilibre dans sa vie. Parce qu'avec Mirabelle dans le décor, il est facile de basculer dans l'intensité!

Florian

C'est le demi-frère de Dylane, en quelque sorte. En fait, ils n'ont aucun lien de parenté, mais la mère de Dylane vit avec le père de Florian. Ce dernier vient d'Angleterre et a un accent à couper au couteau quand il essaie de parler français. Quand Dylane a fait la connaissance de Florian, elle l'a aussitôt surnommé FF, pour « fils fendant ». Car, comme on s'en doute, il lui arrive parfois de regarder les autres de haut… Dylane et lui forment un couple depuis le mois de janvier.

FÉVRIER

« J'ai QUATRE dents en moins dans la bouche...

Il faut que je trouve TROIS commanditaires pour la fête foraine de l'école.

Florian et moi, on sort ensemble depuis bientôt DEUX mois.

Et j'ai UNE toute nouvelle passion dans la vie : la barbe à papa ! »

Dimanche 1ᵉʳ février

~ 10 h 11 ~

Je viens de déposer ma revue parce que j'ai trop mal aux dents. Sérieux! Papa m'obstine en prétendant que c'est impossible, puisque mes broches n'ont été installées que vendredi, mais je le jure! C'est horriblement douloureux. Bon, pas « horriblement », mais quand même, ça ne fait pas de bien du tout! Et non, ça n'a rien à voir avec le fait que je me trouve affreuse, avec des broches.

Je souffre et mon père n'a tout simplement aucune compassion pour moi! Mais c'est vrai que je commence à y être habituée... Ce n'est pas comme s'il était du genre très empathique. D'ailleurs, que celui qui s'est déjà fait arracher sauvagement QUATRE de ses dents vienne me dire que je n'ai aucune raison de me plaindre!

Cher journal, je sais que tu penses que, si je souffre autant, c'est peut-être aussi à cause de ma récente dispute avec Colin, mon ex-ex-meilleur ami. (On a dû casser et reprendre notre amitié plus souvent que n'importe quel couple, lui et moi...)

De toute façon, ça, c'est carrément une autre histoire. Et je refuse d'en parler. En tout cas, pas pour le moment. Je viens de retrouver un de ses vieux chandails qu'il avait oublié sous mon lit (papa m'a forcée à faire le ménage de ma chambre…) et juste de le regarder me fait monter les larmes aux yeux. Alors revenir sur les derniers événements avec Colin? Non merci!

Oh, j'y pense, sais-tu quelle revue j'étais en train de lire? Celle que j'ai volée dans la salle d'attente de mon orthodontiste. (JE SAIS, voler, ce n'est pas beau… mais je n'avais pas le choix, IL FALLAIT que je la fasse disparaître!) Tu sais, celle où le chroniqueur répondait à mon courriel?

Au cas où tu ne t'en souviendrais pas, je te rafraîchis la mémoire: en décembre dernier, j'avais eu une période de questionnement intense concernant… concernant la sexualité des jeunes de mon âge, quoi! Et j'avais décidé de poser ma question à *Sexo ados*. Eh bien, pas plus tard que vendredi, elle s'est retrouvée dans la section *Courrier* du magazine! C'est Colin qui s'en est rendu compte. (Sans savoir que c'était moi, la fameuse Dylane qui posait la question ultra gênante!)

Peu importe, puisque j'aime mieux qu'il ne sache rien de cette histoire. Mais je vais tout de

même prendre la peine de recopier une partie de l'article ici, juste pour toi.

//////////// ## Avoir honte ////////////

Q: Je me demandais si le fait de se caresser, quand on est une fille, pouvait faire de nous... une obsédée ! Ce que je ne suis aucunement !!! Au contraire, je ne pense presque JAMAIS à ces choses. Aidez-moi, svp, car je ne sais plus à qui en parler...

En attendant votre réponse avec impatience, Dylane.

R: Premièrement, sache que le fait de se caresser, que l'on soit une fille ou un garçon, est tout à fait normal. C'est une façon saine de découvrir son corps. De plus, tant que ces gestes sont faits dans l'intimité, personne n'a à savoir ce qui se passe dans ta chambre. Il ne faut pas croire que l'on est obsédé

parce que l'on éprouve du désir ou de l'excitation. Bien que ce sujet soit gênant pour toi, tu peux très bien aller en discuter avec l'infirmière de l'école, qui ne te jugera pas. Elle te renseignera plutôt de façon tout à fait professionnelle et répondra ainsi un peu mieux à tes questions. Si après cela tu éprouves toujours de la honte ou de la gêne, tu peux aussi écrire ou téléphoner à Tel-jeunes, qui est une ressource gratuite et confidentielle 24 heures sur 24, 7 jours sur 7, aux coordonnées suivantes : www.teljeunes.com, 1 800 263-2266 par téléphone ou 514 600-1002 par texto.

//

Comme si j'allais en jaser avec l'infirmière de l'école!! Bon, je prends note du numéro de texto de Tel-jeunes, mais c'est seulement au cas où j'aurais d'autres questions… Pour le moment, je pense que je vais aller me chercher des Tylenol pour faire baisser ma douleur aux dents. Je reviens.

~ 10 h 35 ~

Oui, tu as bien lu, ça m'a pris vingt-quatre minutes très exactement pour être capable de gober UN comprimé ! Maintenant, je m'attaque au deuxième...

~ 11 h 03 ~

Cream puff ! Incapable de l'avaler... Je me résous à l'écraser avec une cuillère. Ça ne devrait plus être trop long.

~ 11 h 27 ~

Ouache ! Quand on mélange la poudre avec n'importe quelle boisson, ça goûte carrément la craie et c'est dégueu ! Je déteste prendre des pilules. En tout cas, il me reste une dernière gorgée de mon jus d'orange à saveur de Tylenol et cette fois, je serai tout à toi. Parce qu'il y a un truc dont je dois ABSOLUMENT te parler. Ce ne sera pas long. (Promis, cette fois !)

~ 12 h 08 ~

Double ouache !! J'ai failli vomir et comme je n'arrivais pas à me débarrasser de la saveur de craie dans ma bouche, il a fallu (pas le choix !) que je me prépare un chocolat chaud à la guimauve

pour faire passer le méchant. (Je sais, j'avais promis de cesser d'en boire, mais c'était un cas de force majeure!) Maintenant, ça va mieux… Sauf que c'est bientôt l'heure de dîner et que je commence à avoir faim.

Évidemment, avec ma nouvelle dentition en rail de chemin de fer, je ne peux pas manger n'importe quoi et ça me prend des heures à bien nettoyer mes dents, par la suite. Donc, quand je veux me préparer un repas, c'est toute une aventure. Si je veux être capable de dîner avant le coucher du soleil, je vais devoir vérifier ce qu'il y a dans le garde-manger.

Je te reviens plus tard pour te jaser de LA chose en question…

(OK, j'exagère un peu, mais j'ai super faim, là, et comme tu es un journal intime super compréhensif, je sais que tu ne vas pas m'en vouloir de te faire passer après mon estomac.)

~ 16 h 18 ~

Je sais, je sais… je te fais attendre. Mais c'était pour une bonne cause: je devais discuter d'un «sujet» primordial, selon ma cousine Mirabelle. Elle vient de m'appeler et elle a encore

tenté de me convaincre. D'ailleurs, je dois avouer qu'elle est à deux doigts d'y parvenir.

Je t'explique.

À la fin du mois, l'école veut organiser une immense fête foraine. Juste avant la semaine de relâche. Mais pour cela, il faut que des élèves s'engagent dans le comité «Fêtes» de la polyvalente. C'est parce que les profs sont débordés avec la remise des bulletins et n'ont pas le temps de s'en charger. Moi, je ne fais partie d'aucun comité. Ça ne m'intéresse pas tellement et, en plus, je suis du genre à oublier pas mal d'affaires... Je n'ai pas ça dans le sang, organiser des événements. Et avec mon tennis, je ne vois pas où je trouverais le temps pour ça.

Par contre, depuis le début de l'année, soit depuis le déménagement de ma cousine dans mon quartier, elle me tanne et essaie de me convaincre que de participer à ce comité serait LA chose cool à faire. Sauf que je sais trèèèès bien pourquoi Mira veut s'impliquer. C'est à cause de Philippe... Philippe, c'est notre technicien en loisirs. Il doit avoir dans la vingtaine et TOUTES les filles (à part moi, bien sûr!) trippent sur lui. (Un vieux, franchement!) Il est drôle et les élèves le suivent

partout quand il se promène dans l'école. Mira ne fait évidemment pas exception.

En septembre, elle était trop gênée pour s'inscrire, mais depuis que Noël est passé, elle est revenue à la charge en tentant par tous les moyens de me faire changer d'idée. Mais moi, je ne veux pas y aller.

Ou en tout cas, je ne voulais pas, car, comme je le disais, ma cousine est sur le point de me convaincre. C'est que la fête foraine est toujours une activité géniale. L'an dernier, on avait mangé de la barbe à papa (miam… de la barbe à papa…) et j'avais eu mal au ventre durant des semaines. (OK, ça, c'est un mauvais souvenir, par contre…) Cette année, les profs nous obligent à organiser l'événement, sinon il n'aura pas lieu. Ce qui serait ultra poche.

Bref… je ne sais pas encore ce que je vais faire. J'ai déjà des tas d'idées pour rendre la fête encore plus géniale. (Moi, je ne suis jamais en manque d'idées.) Sauf que je n'ai pas le temps ! Grrr… Quand on est ado, on a des milliers de responsabilités (genre faire nos devoirs, du sport, avoir un *chum* et sortir entre amis) et ça nous épuise ! J'ai hâte d'être adulte, pour en avoir un peu moins sur les épaules.

Ben quoi ?! Mon père, tout ce qu'il a à faire, c'est travailler et s'occuper de ses enfants ! Le chanceux. L'adolescence, c'est vraiment une période *tough* à passer, je trouve.

En tout cas, parlant de mon père, il veut que j'aille l'aider à préparer le souper. (La preuve qu'il ne fait pas grand-chose : je dois toujours lui donner un coup de main !) Je te laisse et je vais en profiter pour continuer à réfléchir. Peut-être que si je pesais les pour et les contre, en ce qui concerne le comité « Fêtes »… Oui, c'est ce que je vais faire, pas plus tard que ce soir !

À tout à l'heure !

~ 19 h 04 ~

Bon, je me lance dans la liste des POUR et des CONTRE. Que voici…

POUR :

1- Sentiment de fierté et d'accomplissement. (Argument provenant de mon père…)

2- Passer du temps avec Mirabelle. (Ce qui, en soi, n'est pas réellement un argument pour…)

3- Rencontrer de nouvelles per-sonnes. (En même temps, je ne suis pas à la recherche de nouveaux amis, tsé...)

4- Être bien vue par la direction de l'école. (Pas certaine que ça change quoi que ce soit avec le directeur, mais bon...)

5- Faire plaisir à mon père. (Ouin, c'est ce qu'il m'a dit, tout à l'heure.)

6- Pouvoir ajouter cette info dans mon curriculum vitae. (Ce n'est pas comme si j'allais commencer à travail-ler bientôt, mais c'est vrai que c'est une expérience enrichissante.)

MAINTENANT, ALLONS-Y POUR <u>LES CONTRE</u> :

1- Être obligée de rester à l'école, le soir. (Ouache ! Rester à l'école à la fin de la journée !!)

2- Devoir fréquenter les nerds et les élèves un peu trop intenses

qui veulent toujours faire partie de tous les comités.

3- Manquer un ou deux entraînements de tennis dans le mois. (Mon coach ne me le pardonnera jamais!)

4- Ne pas pouvoir faire mes devoirs, les soirs de réunion. (Mais est-ce vraiment un argument contre, ça?)

5- Passer plus de temps avec Mira. (Oui, je sais, je l'avais mis dans les POUR, mais je pense que ça irait AUSSI dans les CONTRE...)

6- Aller dans les magasins, à la recherche de commanditaires. (Je déteste quêter de l'argent à mon père, alors j'imagine à peine ce que ce sera devant des inconnus.)

En faisant le décompte, je constate que c'est à égalité. Je ne suis pas plus avancée, moi... Je vais devoir continuer d'y réfléchir. Mais c'est Mira qui va me bouder, demain, si je ne lui donne pas de

réponse. Je n'ai pas le choix, je vais passer un test pour savoir si je suis une bonne organisatrice… Je devrais en trouver un facilement sur Internet. Je vais fouiller un peu et l'insérer entre tes pages, cher journal.

Même si je me doute des résultats, tu seras le témoin silencieux de mon humiliation…

Es-tu organisée?

Quelle joie d'être capable de nous souvenir de l'anniversaire de notre meilleure amie! Que de stress en moins dans notre vie lorsqu'on remet nos devoirs à temps, avec même un peu d'avance, grâce à un calendrier placardé au mur de notre chambre! Toi, crois-tu être une jeune fille organisée? En mesure de gérer de grands ou de petits événements? Capable de faire face à tes responsabilités sans te sentir ensevelie par la quantité de tâches à accomplir?

• •

Pour savoir si tu es organisée, fais le décompte des phrases suivantes qui s'appliquent à ta situation. Plus tu coches de phrases, plus tu es une planificatrice-née!

• •

❑ Tu es une adepte des listes! Une pour tes devoirs et leçons, une pour les numéros de téléphone de tes amis et encore une autre pour simplement savoir ce que tu as à faire durant ta journée. Sans compter une dernière liste de toutes tes listes!

❑ Tu n'es jamais prise au dépourvu. Tu achètes toujours en double, au cas où tu manquerais de quelque chose.

❑ En une seule journée, tu es capable de terminer ton dernier devoir d'histoire, de faire une course pour ta mère, de rendre visite à ta cousine, d'enregistrer ton émission favorite, de faire ton entraînement quotidien et même de consacrer une heure ou deux à lire le dernier roman que tu viens d'acheter.

❑ Qu'est-ce que tu inscris sur ta liste de cadeaux de Noël? Des carnets de notes!

❑ Tu n'es jamais en retard.

❑ Tu notes tout, dans un cahier ou même dans un journal intime, pour ne rien oublier.

❑ Tu ne fais jamais ta valise la veille d'un voyage, mais plusieurs semaines à l'avance.

❑ Dès que quelqu'un change les plans, tu n'apprécies guère...

❑ Tu as un rituel pour toutes tes tâches quotidiennes. Jamais, au grand jamais tu ne brosserais tes dents avant d'avoir pris ta douche!

❑ Ton bien le plus précieux est sans aucun doute ton agenda!

❑ Avant de te coucher, tu prépares mentalement ta journée du lendemain.

❑ Ta chambre est toujours en ordre.

❑ Dans ton sac à dos, il y a un peu de tout, au cas où tu oublierais quelque chose. (Ce qui n'arrive jamais, évidemment!)

❑ Tes vêtements pour le lendemain sont sagement pliés sur une chaise, près de ton lit.

❑ Et tout naturellement, dès que tu ouvres les yeux, tu songes à tout ce qui t'attend dans ta journée!

Dernier petit conseil, pour la jeune fille organisée que tu es peut-être: prends aussi le temps de vivre le présent. À force de prévoir le futur, tu en oublies parfois l'essentiel. C'est si bon d'être surpris par la vie!

Lundi 2 février

~ 7 h 23 ~

Je dois trouver le sens d'un grand mystère de la vie...

C'est une longue histoire, alors je te résume le tout ici :

Ce matin, en me levant de trèèès bonne heure (genre AVANT le soleil...), je me suis dirigée vers les toilettes sans ouvrir la moindre lumière. Je connais quand même ma maison et je sais où il ne faut pas mettre le pied, au risque de marcher sur mon équipement de tennis qui traîne par terre ou le sac à dos de Fred, qu'il oublie toujours de suspendre à un crochet.

Toi qui me connais bien, cher journal, tu sais que je suis rarement debout aussi tôt. C'est un peu ma faute, il faut dire. Hier soir, avant de me coucher, j'ai bu un autre chocolat chaud. (ET JE SAIS QUE JE DOIS LIMITER MA CONSOM-MATION DE SUCRE, PAS BESOIN DE ME LE RÉPÉTER !) Conséquence : ma vessie était carré-ment sur le point de déborder aux petites heures du matin. Donc, pas le choix, il fallait que j'aille faire un tour aux toilettes.

Bref, après mon passage sur la cuvette, j'ai ressenti une petite fringale. D'après moi, je dois être en pleine poussée de croissance, parce que j'ai toujours faim, ces derniers temps. En plus, j'ai dû prendre un bon pouce de plus, le mois dernier. Si ça continue comme ça, mes vêtements ne me feront plus! (Quoique ça me donnerait l'excuse parfaite pour refaire ma garde-robe. À utiliser comme argument auprès de papa, car mes chandails commencent réellement à être un peu serrés...)

N'empêche, j'aimerais mieux cesser de grandir, parce que je dépasse déjà une bonne partie des gars de ma classe. (Sauf Colin et deux-trois autres, mais ce sont vraiment les exceptions.) Vivement qu'ils entrent dans leur puberté, ceux-là!

Bref, je reviens à mon histoire, désolée. Donc, je me suis dirigée sans AUCUNE méfiance vers la cuisine. Et c'est là que ça m'a frappée! Pas dans le sens de «j'ai eu une bonne idée»! NON, NON! Pour vrai! ÇA M'A FRAPPÉE! La porte de l'armoire, je veux dire! En plein dans le front!! (Fichu pouce supplémentaire! Sans lui, j'aurais peut-être pu éviter la collision…)

Je me suis retrouvée avec un IMMENSE bleu sur le front. D'ailleurs, je ne sais pas encore

comment je vais réussir à le camoufler avant d'aller à l'école, ce matin. Il faut que je fouille dans mon maquillage, sauf que je ne porte quasiment jamais de fond de teint, alors ça risque de paraître… À moins que je demande à Mira de me prêter le sien ? Par contre, elle et moi, on n'a pas la même couleur de peau. Enfin, oui, on a la même couleur, mais pas tout à fait la même teinte, si l'on veut. Elle est un peu plus foncée que moi. Il faut dire que, parfois, elle va au salon de bronzage et on croirait qu'elle revient d'un voyage dans le Sud.

De mon côté, je suis aussi blanche qu'une feuille de papier. Avec des veines bleues en prime. Et quelques taches de rousseur. C'est d'un chic… J'aimerais bien accompagner ma cousine pour me faire bronzer, mais papa ne veut pas. Je lui en ai justement parlé, pas plus tard que la semaine dernière, quand Mira m'a demandé de l'accompagner. Mon père dit que c'est mauvais pour la peau. Lis bien le dernier argument qu'il vient de me sortir à ce propos:

MOI: Papa, ma peau est beaucoup trop pâle. Je suis affreuse. On dirait que je suis malade! Il faudrait vraiment que j'aille au salon de…

MON PÈRE (qui n'a aucun respect et qui me coupe la parole) : Jamais de la vie ! Il est hors de question que tu ailles là-bas !

Moi : Tu ne sais même pas ce que j'allais dire ! Et pourquoi tu ne veux pas ?! Mira y va bien, elle, au salon de bronzage !

MON PÈRE : Je savais ce que tu allais me demander. On peut lire en toi comme dans un livre ouvert. Et premièrement, tu as un très joli teint, arrête de t'en faire.

Moi : Ça, c'est toi qui le dis et question goût, on repassera, hein...

MON PÈRE : Pourquoi tu dis ça ?

Moi : Ben là, tu as vu les vêtements que tu portes ? Y a jamais rien qui fitte !

MON PÈRE : Tu sauras, Dylane, que certaines personnes me trouvent très bien de ma personne ! Mais

peu importe, ma deuxième objection est que les rayons UV sont cancérigènes pour la peau.

Moi : Cancérigènes, cancérigènes… Quand tu auras de bons arguments, tu reviendras me voir. En attendant, je dois aller me mettre de l'autobronzant. Ça, au moins, tu ne peux pas dire que c'est dangereux !

J'y pense… je me demande de qui mon père parlait, quand il a dit que certaines personnes le trouvaient séduisant… J'espère qu'il ne faisait pas référence à la conseillère en orientation ! J'ai bien surveillé l'évolution de leur relation et je n'ai rien vu de suspect de ce côté. Mais je sens que je vais devoir rester aux aguets…

En tout cas, pour en revenir à l'armoire de cuisine qui m'a violemment attaquée cette nuit, il faut absolument que je trouve QUI a osé la laisser ouverte. Et surtout, pourquoi ! Je te le dis, cher journal, ça n'en restera pas là !

En attendant, je dois te laisser, car mon père vient de crier mon nom. Je me demande ce qu'il a…

Février

~ 7 h 49 ~

Ah, oups, mon père voulait que je me dépêche de sortir. Parce que mon autobus arrivait au coin de la rue… Pis, ben… je l'ai raté. Mais il me restait encore à m'habiller et à déjeuner ! Comment je pouvais savoir que te raconter mon histoire de porte d'armoire prendrait autant de temps, aussi ?!

En tout cas, papa est fâché et il tape du pied dans l'entrée. Il a accepté d'aller me reconduire, même s'il commence plus tard que moi ce matin. Je le soupçonne de se trouver une excuse pour aller jaser avec Laurie, la conseillère en orientation…

Note à moi-même : aller les espionner à la récréation, si Mira ne me retient pas de force dans les toilettes parce qu'elle a besoin d'aller se repoudrer le nez.

Bon, je te laisse, papa fait plus que taper du pied désormais. Il me hurle carrément dessus pour que je me grouille.

~ 16 h 32 ~

Mystère résolu ! J'ai trouvé qui était LE coupable. C'est Antony ! À mon retour de l'école, j'ai fait le tour de la maison pour poser des questions. Et il a avoué lui-même qu'hier soir il était allé dans

30

la cuisine pour se faire des toasts, tard en soirée. Il n'a pas été jusqu'à dire qu'il avait oublié de refermer la porte de l'armoire, mais c'est tout comme.

Quand j'ai voulu le faire avouer, il a soupiré et il m'a dit d'arrêter de paniquer. Que je n'avais qu'à regarder où j'allais et c'est tout. Et si vraiment je n'étais toujours pas contente, de la refermer moi-même, la (bip-bip: insérer le sacre de son choix, car je ne vais pas m'abaisser à répéter les gros mots de mon frère!) de porte. Que je lui faisais penser à sa blonde qui chiale constamment à propos de tout et de rien.

J'en suis venue à la conclusion que, selon moi, son couple est vraiment en train de battre de l'aile…

Je me demande quand même pourquoi Anto est incapable de refermer ses fichues portes. J'ai essayé de trouver l'explication parfaite, mais voici tout ce qui m'est passé par la tête:

✱ Il manque de force dans le poignet. (Ça m'étonnerait, mais je ne t'expliquerai pas ICI pourquoi j'ai de sérieux doutes…)

✱ Il veut faire aérer le contenu de l'armoire. (Parce qu'on sait TOUS

qu'une armoire a besoin d'un peu d'air.)

✱ Il la laisse ouverte, au cas où il changerait d'idée et qu'il se prendrait un autre truc. (La plus probable de toutes mes idées.)

✱ Il a peur que personne ne remarque sa présence et il laisse toutes les portes ouvertes sur son passage pour que jamais on ne l'oublie. (Comme si on pouvait l'oublier !)

✱ Il n'a jamais compris le réel fonctionnement d'une porte. (Demander à papa de lui donner un cours 101 sur le sujet.)

✱ Il a un trouble de l'attention. (Pourtant, il est capable de parler à sa blonde au téléphone, d'écouter la télé et de faire ses devoirs, tout cela en MÊME temps.)

Comme tu peux le voir, mes suggestions sont encore à retravailler, mais chose certaine, il faut que je trouve la façon de lui apprendre à refermer une porte. Je m'attaque dès ce soir à cette pénible tâche…

~ 17 h 49 ~

Pas moyen de dire quoi que ce soit sans que mes frères ne s'offusquent. Je ne me pense pas plus brillante qu'eux. Simplement, MOI, je sais fermer une porte après l'avoir ouverte !

Comme tu t'en doutes, mes conseils n'ont pas été très bien accueillis. C'est dommage, car ça partait vraiment d'une bonne intention. Je voulais juste les aider à devenir de meilleures personnes.

Peu importe ! Qu'ils restent de parfaits crétins, puisque ça leur chante ! Je démissionne. Mais la prochaine fois que je vais me lever la nuit pour aller dans la cuisine, j'ouvrirai TOUTES les lumières. Je me fiche bien que ça les réveille. Mon front est plus important que la qualité de leur sommeil.

Sur ce, je m'en vais terminer mon dessert. Je suis sortie de table un peu précipitamment. Après m'être fait insulter. Anto m'a traitée de « Germaine » ! Parce qu'il dit que je suis une vraie

de vraie fille et que les filles, ça veut toujours tout contrôler. Que je n'étais pas mieux que sa blonde et bla bla bla !

Ça va de mal en pis, entre eux…

En plus, papa n'a pas dit un mot et il ne m'a pas défendue du tout ! Normal, il était tellement concentré sur son ordinateur. Depuis quand on a le droit d'aller sur Internet, à table ? D'ailleurs, je ne me suis pas gênée pour le lui dire. Et c'est à ce moment que Sébas s'est mis à appuyer Anto. Papa m'a ignorée et j'ai dû me défendre contre mes deux frères. J'ai préféré leur signifier leur « insignifiance » en quittant la table.

Pour leur prouver que j'étais plus mature qu'eux. Car, MOI, je n'insulte pas les gens gratuitement ! En plus, je n'étais déjà pas de très bonne humeur en arrivant à la maison. Pourquoi faut-il que ces idiots viennent en rajouter ? Je dois me changer les idées. Avant, je serais allée me préparer un bon chocolat chaud. Mais j'ai changé (OK, pas tant que ça…), alors je vais plutôt y aller pour…

Non… y a rien qui me tente. C'est tellement poche de ne plus prendre de boissons sucrées que ça me déprime. Même si je sais que c'est pour le bien de mes dents et que je dois limiter ma consommation de sucre, mon corps refuse d'écouter ma tête. J'aimerais les voir, ces études qui prouvent

que la sloche à la framboise bleue ou le chocolat chaud donnent des caries! Parce que j'ai encore des doutes.

Et puisque le dentiste ne peut me donner de réponse pour le moment, je vais de ce pas me préparer un bol de crème glacée. Que je sache, ce n'est pas une boisson, non? La seule qui reste dans le congélo est aux fraises et les fraises, c'est super bon pour la santé. Donc, c'est comme si je mangeais des fruits.

Voilà qui est réglé!

Je reviens après avoir dévoré mon dessert pour te parler de ma journée. J'ai pris de grandes décisions...

~ 19 h 55 ~

Il ne restait qu'un fond dans le contenant de crème glacée! J'ai été obligée d'aller SEULE à l'épicerie (accompagnée de papa, mais ça ne compte pas parce qu'il a passé son temps sur son téléphone en marchant dans les allées) pour en avoir. Mes frères ne sont que des gloutons qui mangent tout le temps. Ah, et ce n'est pas tout! Le vrai coupable des portes d'armoire s'est enfin dévoilé...

C'est Fred! Je n'aurais jamais cru que ça pouvait être lui! Il a fini par me le dire, car c'est aussi lui qui a mangé de la crème glacée, hier

soir. Bref, le coupable n'est pas toujours celui que l'on croit…

Au magasin, j'ai demandé à papa d'acheter des aliments bons pour la santé. Comme j'ai tendance à exagérer côté sucre, il fallait bien que je trouve une solution. Finis les sacs de chips et les bonbons. Papa a plutôt pris, sur mes conseils, des épinards, du chou kale (un truc que mon amie Annabelle mange à profusion dans ses lunchs), des bananes et du tofu. (Même si je trouve ça plutôt dégueu, dans cette recette, je vais sûrement pouvoir m'en sortir.)

C'est officiel, je me mets au jus vert dès demain matin. Anna m'a expliqué comment faire le mélange et ça n'avait pas l'air trop compliqué. Papa riait un peu de moi pendant notre magasinage, mais il a accepté de mettre les légumes dans notre panier. C'est l'essentiel.

J'ai tout préparé pour mon réveil. Le jus repose dans le frigo, attendant impatiemment que je le goûte. La couleur n'est pas très inspirante, mais là n'est pas le but. L'important, c'est que ce soit bon pour la santé ! Et moins sucré. Sans compter que c'est rempli de vitamines afin de bien commencer la journée. Anna sera fière de moi quand elle apprendra ce que j'aurai mangé au déjeuner.

Février

Je devrais peut-être lui écrire un courriel pour le lui dire…

Ah et puis non, elle le découvrira demain, à l'école, parce que je dois te parler de ma journée. Ces derniers temps, je constate que je fais beaucoup de digressions (ça veut dire que je change de sujet avant d'aborder LE sujet principal) et je m'en excuse. J'ai l'impression d'avoir des tas de trucs à raconter et personne à qui les dire.

Oui, ça pourrait avoir un lien avec l'absence de Colin dans ma vie, mais encore une fois, je refuse d'aborder la question. Il faut que je le laisse respirer, comme il me l'a dit aujourd'hui. Donc, je le laisse prendre de longues et pénibles inspirations-expirations, sans intervenir le moindrement. Je ne pense pas à lui. Je me fiche totalement de ce qu'il fait. Et ce, même si ça signifie qu'il le fait avec Justine Lagacé! Tu sais, cette fille en secondaire deux qui habite proche de chez lui?

Promis, c'est la dernière fois que j'en parle, mais sache que j'ai vu Colin entrer chez elle, aujourd'hui. OUI! Chez elle! Il montait les marches menant à son perron et il ne m'a pas vue, mais moi j'ai bien reconnu son manteau. Je ne sais pas ce qu'il est allé faire là-bas… Par contre, qu'il ne vienne plus me dire que je lui cache des choses,

après ça! OK, à proprement parler, il ne me cache rien, puisque lui et moi, on n'est même plus amis, mais on l'a été durant plus de DIX ANS! Ce n'est pas rien, il me semble.

Moi, je lui ai simplement caché cette légère information tout à fait dérisoire voulant que je sorte avec Florian… Des détails! Alors que lui, il sort sûrement avec Justine Lagacé! Monsieur se croit au-dessus de tout soupçon, mais comme par hasard, il agit en traître! Oui! En traître!!

Bon, voilà ce que ça donne, quand je pense à Colin. Il faut vraiment que je cesse de parler de lui. Tu vois très bien où ça nous mène…

Pour la mille et unième fois, revenons au sujet principal et arrête un peu de me faire penser à la sombre histoire concernant mon ex-ex-meilleur ami! Ce midi, Mirabelle m'a prise en otage dans les toilettes du deuxième étage de la polyvalente. Tu sais, les toilettes où on ne peut aller qu'une seule personne à la fois. Mais ma cousine nous a enfermées dans la minuscule pièce et pendant qu'elle faisait pipi (je dois absolument oublier que j'ai vu ma cousine dans cette position, désormais…), elle a encore une fois tenté de me convaincre de m'impliquer dans l'organisation de la fête foraine.

Je n'en pouvais plus de l'entendre, alors j'ai involontairement dit oui… Oh, je sais que ça semble impossible (qui accepte involontairement de participer à un truc qui l'ennuie?), mais c'est exactement ce qui s'est produit. Mira est plus manipulatrice que je ne le croyais. La preuve :

MIRA (assise sur la cuvette) : OK, regarde ailleurs, stp.

MOI (qui me cache les yeux de mes deux mains) : T'inquiète, c'est ce que je compte faire pour le reste de mes jours !

MIRA (qui commence à faire pipi… OUACHE !) : Si tu m'accompagnes, tu seras la meilleure cousine du MONDE !

MOI (qui lui tourne le dos) : Je suis DÉJÀ la meilleure cousine du monde, l'aurais-tu oublié ? Et je fais presque toujours ce que TU veux. Mais là, ça ne me tente pas.

MIRA (qui déroule le papier de toilette pour s'essuyer... OMG !!) : C'est différent, cette fois. J'ai besoin de toi. Je ne veux pas y aller seule. J'ai besoin de me sentir un peu utile dans cette école. Tu le sais que je suis nouvelle et que j'ai besoin de faire ma place.

Moi (sur le bord de me boucher aussi les oreilles) : Je trouve que tu prends assez de place comme ça.

MIRA (QUI S'ESSUIE !!!) : Tu ne me donnes pas le choix, alors... Si tu ne viens pas avec moi, je vais aller voir Colin pour lui dire que tu t'ennuies de lui et que...

Moi (en panique, les yeux grands ouverts... Re-OMG !) : C'est bon ! Je vais t'accompagner ! Mais tu m'en dois toute une !

MIRA (qui relève ses pantalons) : Oui, oui, évidemment ! Maintenant, suis-moi, on va aller à la réunion qui a lieu ce midi. Ils nous attendent !

Je n'ai pas eu le temps de me fâcher parce qu'elle nous avait déjà inscrites. (Avant que j'aie dit OUI!) Elle m'a aussitôt tirée en direction du local d'art dramatique. C'est là que les réunions ont lieu.

En conclusion, je fais officiellement partie du comité « Fêtes » de l'école… Pas certaine que ça fasse mon affaire. Mais je vais me laisser la chance d'aimer ça, avant de démissionner. Malgré mon échec au test d'organisation, je pourrais quand même devenir une pro grâce à ce comité.

C'est un détail à prendre en considération…

Mardi 3 février

~ 7 h 31 ~

POUACHE! Ce jus vert, c'est le truc le plus horrible que j'aie goûté de TOUTE ma vie!! J'avais pourtant de très bonnes intentions en me levant. J'étais même super joyeuse à l'idée de boire le tout.

Je me suis versé un énorme verre devant mes frères (qui me regardaient comme si j'allais avaler une recette « spécial pissenlit »). Même papa n'osait pas s'approcher du mélangeur et de son contenu. Mais après une première gorgée (que j'ai bien failli recracher dans le visage de Fred, qui était en face de moi), j'ai déposé ma tasse, l'air dégoûté.

Sauf que mon père ne l'entendait pas de cette oreille! Il m'a obligée à terminer ma boisson! Il n'aime pas le gaspillage et refusait que je jette le restant aux poubelles. Heureusement, Fred est venu à ma rescousse et il a pris ma tasse pour la sentir, avant d'en prendre une mini-gorgée. Qu'il a adorée! Je n'en reviens pas. Conclusion de l'histoire: je lui ai donné joyeusement mon jus vert (en fait, il en a pour la semaine, car j'avais préparé une portion de compétition…) pour qu'il se régale.

Il était content parce qu'il n'aime pas trop déjeuner et que ce jus se boit super facilement

(selon lui…). Chose certaine, c'est la dernière fois que j'essaie de manger ou de boire santé! Je retourne à mes boissons sucrées. (Rien de mieux qu'un bon chocolat chaud pour vous remettre sur pied!)

Comme je n'avais pas le temps de m'en préparer un, j'ai opté pour un restant de lait de poule que nous avions oublié dans le fond du frigo. Papa en achète toujours dans le temps des Fêtes. D'après moi, ça lui rappelle l'époque où maman habitait avec nous, car elle adore le lait de poule.

Moi, je me suis toujours demandé pourquoi on appelait ça ainsi. La poule, ça ne donne pas de lait, non? Un de mes frères doit sûrement le savoir…

~ 14 h 08 ~

Oh là là… Je ne me sens pas bien du tout… J'ai mal au ventre et j'ai envie de vomir. D'après moi (et papa), le lait de poule que j'ai pris ce matin était périmé. Sébas (que j'ai croisé dans les corridors de l'école avant d'être renvoyée chez moi par l'infirmière) a ri de moi en me disant que ça m'apprendrait à boire du jus vert « ultra santé »…

Il est dans les patates! Si vraiment le jus vert m'avait donné mal au ventre, Fred aussi serait à la maison en train de gémir de douleur. Ce qui n'est

pas le cas! Je suis toute seule chez moi (papa est venu me reconduire et il est retourné à l'école tout de suite après) et je prévois passer le restant de la journée couchée dans mon lit.

D'ailleurs, je te laisse, j'ai un horrible haut-le-cœur…

~ 14 h 24 ~

Je viens d'être malaaaade… Je m'en vais me coucher. En me regardant dans le miroir, j'ai remarqué que j'avais le teint aussi vert que mon jus de ce matin! C'est très mauvais, ça…

~ 22 h 19 ~

Après avoir été sur le carreau toute la journée, je commence à reprendre des forces. C'est le silence dans la maison, car les gars sont dans leurs chambres et papa est allé se coucher après m'avoir apporté une débarbouillette mouillée. Mais je n'arrive pas plus à dormir. Il faut dire que c'est ce que je fais depuis des heures! Je commence à être un peu tannée.

Je vais en profiter pour aller vérifier mes courriels. Papa a laissé traîner le portable sur la table de la cuisine. Je me faufile dans la pièce et ni vu ni connu, je reviens avec l'ordinateur…

~ 22 h 23 ~

Cream puff de *cream puff*! QUELQU'UN AVAIT LAISSÉ LA PORTE DE L'AMOIRE OUVERTE! ENCORE!! Si j'attrape celui qui a fait ça, je vais lui dire ma façon de penser. Ça ne peut pas être Fred, car il a promis de faire attention désormais. Je soupçonne Anto… Lui et sa manie de grignoter à n'importe quelle heure de la journée! Il va devenir obèse, s'il continue! (OK, aucune chance qu'il devienne obèse, car il est maigre comme un clou, mais ses artères vont se bloquer un beau jour, c'est sûr, car il mange n'importe quoi!)

Le pire, c'est que je me suis cognée de l'autre côté de la tête! Donc, ça me fait un beau duo de poques sur le front! *Cream puff!* Lire mes messages me calmera peut-être.

~ 22 h 37 ~

Premier courriel provenant de Florian. Puis d'Anna qui était inquiète de me voir quitter l'école aussi vite (papa m'a dit qu'elle avait appelé, avant le souper, mais que je dormais encore à ce moment), et finalement de Mira, qui m'en veut d'avoir raté notre première réunion officielle pour le comité «Fêtes». Toujours aussi empathique, ma chère cousine…

Je te retranscris leurs messages.

À : Dydy2000@mail.com
De : FlorianFleming@mail.com
Date : Mardi 3 février, 20 h 14
Objet : Surprise pour toi...

Hello baby !

Est-ce que tu comptes les jours avant la Saint-Valentin ? Moi oui. **Because** le 14 février, je vais t'envoyer ta surprise ! Tu vas être contente. **I'm sure !**

Je m'ennuie de toi. Qu'est-ce que tu as fait aujourd'hui ? Moi, **exams**... Maths **and english**. **Sorry** pour les mots en anglais dans mon message. Je ne traduis pas toujours.

Des **news** de ton **friend** Colin ? Pourquoi il avait ton cellulaire dans les mains, quand je t'ai écrit un message, **anyway** ? Il fouille dans tes

choses ? **Maybe it's not** le meilleur **friend** pour toi, **you know**...

Well, ce n'est pas mes affaires, **but**... Tu fais ce que tu veux. D'ailleurs, ça te tente qu'on Skype, ce soir ? Demain, **I can't**, parce que je passe la soirée chez un ami pour étudier. **Same thing** pour jeudi. Vendredi, ce serait cool, mais j'ai un party pour célébrer le week-end. **So**...

Si tu lis mon message, **call me**. Sinon, **I kiss you** et j'attends de tes nouvelles.

I love you

XXX

Florian

Pas sûre que j'apprécie le fait d'avoir ses conseils concernant ma relation avec Colin, mais j'imagine que ça part d'une bonne intention. Trop tard pour l'appeler ou lui parler sur Skype. Et on ne pourra pas se jaser avant samedi, minimum. Parfois, je trouve ça trèèèès compliqué de vivre une relation à distance. Bon, passons au courriel d'Annabelle.

À : Dydy2000@mail.com
De : Annagrano@mail.com
Date : Mardi 3 février, 16 h 38
Objet : Comment tu vas ?
Pièce jointe : Tisane au gingembre.doc

· ·

Pauvre Dylane !

J'espère que tu te portes mieux. Je suis à 100 % convaincue que le problème ne vient pas de ma recette de jus vert. À moins que tu ne l'aies préparée avec des aliments périmés, ce qui m'étonnerait beaucoup. Tu venais à peine de les acheter à l'épicerie. Moi, je n'ai jamais été malade en buvant cette boisson. D'un autre côté, il se peut que tu sois allergique aux épinards ou au chou kale... Ce qui est plutôt rare, mais on ne sait jamais.

J'en ai parlé à maman en revenant à la maison et elle te conseille de prendre une concoction de tisane au gingembre. Si tu n'en as pas chez

toi, je peux même aller t'en porter. Je vais t'appeler tout à l'heure pour voir si tu en veux.

Tu avais l'air tellement mal en point. Après ton départ, ton ami Colin est venu me demander pourquoi tu étais partie si vite. Il t'a vue de loin, pendant que tu sortais avec ton père. Il était inquiet, je crois, parce qu'il m'a posé des tonnes de questions et j'ai fini par lui recommander de t'appeler directement. Après tout, je ne suis pas son informatrice !

Après ça, il a grogné et il m'a plantée là, en colère. J'espère que je ne viens pas d'envenimer les choses entre vous deux. Je sais bien que c'est déjà compliqué…

Bon, je te laisse et je vais m'assurer que nous avons encore un peu de gingembre. Je vais aussi noter la recette de tisane de maman et je te l'envoie en pièce jointe.

Prends soin de toi, Dylane. J'espère que tu seras sur pied dès demain !

Ton amie

Annabelle

Oh! Comme c'est gentil de sa part! Même s'il est hors de question que je boive sa tisane (c'est dégueu, le gingembre!), je peux quand même apprécier le geste.

Colin était inquiet… Juste de l'imaginer en train de questionner Annabelle, ça me fait du bien. Je vais attendre de voir s'il m'écrit, avant de le contacter. Peut-être qu'il est sur Facebook? Après la lecture du courriel de Mira, je vais aller jeter un œil là-dessus. Donc, je te retranscris le dernier des messages, celui de ma cousine:

À : Dydy2000@mail.com
De : BelleMirabelle@mail.com
Date : Mardi 3 février, 19 h 46
Objet : MAIS OÙ EST-CE QUE TU ÉTAIS ?!?

Qu'est-ce que tu fabriquais, encore ? Ne me dis pas que tu avais oublié notre PREMIÈRE réunion importante avec le comité « Fêtes » !? Tu m'avais promis d'y être ! J'ai croisé ton amie Anna avant d'aller au local et elle m'a dit que tu

étais partie juste après le dîner à cause d'un mal de ventre étrange. Non mais, c'est quoi cette histoire ?

Tu as fait exprès de partir plus tôt pour ne pas m'accompagner, c'est ça ? Tu sauras, Dylane Morin, que ce n'est pas correct de lâcher ses amies ! Quand on fait une promesse, on la tient ! Personnellement, je constate que tu as de la difficulté à respecter tes engagements ! C'est comme la fois où tu devais dire à Colin que lui et moi, c'était terminé, et que tu ne l'as JAMAIS fait !

Tu n'es qu'une lâcheuse, Dylane, et je t'avertis, si tu ne viens pas avec moi à la réunion de la semaine prochaine, tu es mieux de ne plus me parler avant un bon bout de temps !

Je te laisse ! Moi, les lâcheuses, je n'aime pas ça !

Mirabelle

Je sens que ma cousine et moi, on va avoir bien des choses à mettre au clair. Non mais, me traiter de lâcheuse ! Pour qui elle se prend, *cream*

puff? Elle ne se regarde pas aller, on dirait! Elle est la première à *flusher* tous ses *chums* et toujours pour des raisons vraiment poches. (Mais en ce qui concerne son dernier *chum*, Émile-le-débile, j'avoue qu'elle n'avait pas tort…)

Chose certaine, je ne perdrai pas une seconde pour lui répondre! J'ai d'autres chats à fouetter! (Pas dans le sens de fouetter des chats, j'adore les animaux, même si je suis allergique, et jamais je ne fouetterais l'un d'eux!)

Allons plutôt voir si Colin est sur Facebook. Je te reviens sous peu…

~ 23 h 12 ~

Non, il ne semble pas y être. Ou en tout cas, s'il y est, il a désactivé la messagerie instantanée, parce qu'il n'apparaît pas en ligne. J'ai perdu assez de temps sur l'ordi. Il faut que je me couche (encore), si je veux être en forme pour retourner à l'école demain.

Bonne nuit, cher journal…

Vendredi 6 février

~ 10 h 27 ~

Congé aujourd'hui! Enfin un peu de temps pour écrire dans mon journal. J'ai eu une semaine plutôt mouvementée. D'abord, il y a eu mon intoxication alimentaire. (C'est bel et bien une réaction au lait de poule, qui était périmé depuis genre un mois... Papa ne pourrait pas faire le ménage du frigo, aussi?!) Puis, retour à l'école dès le lendemain. (Je n'étais pas en pleine forme, mais papa et sa gentillesse légendaire m'ont empêchée de rester à la maison pour me reposer.)

À la poly, Mirabelle est tout de suite venue me piquer une crise comme quoi elle passait en dernier dans ma vie et j'ai dû lui promettre à nouveau d'aller à la réunion, mardi prochain. Je sens que, si je la manque, je suis bonne pour finir coupée en rondelles!

Ma cousine m'a ensuite fait un résumé de celle que j'avais manquée. Il paraît que les autres membres du comité ont décidé de ce qu'ils allaient faire pour aider à l'organisation de la fête foraine. Les tâches ont ainsi été distribuées et comme je n'étais pas là pour dire ce qui me plairait, ils ont

décidé pour moi ! En fait, je soupçonne fortement Mira de s'être vengée en m'attribuant la tâche la plus plate.

Parce qu'imagine-toi donc que je vais devoir partir à la recherche de commanditaires ! Justement ce que je ne voulais pas faire ! *Cream puff !* Anna m'a dit qu'elle m'aiderait (elle était là durant notre discussion, à Mirabelle et moi). Elle connaît des tas de boutiques végétariennes qui ont sûrement envie de se faire connaître. Évidemment, ma cousine s'est sentie obligée de mettre son grain de sel :

MIRA : Euh... Vous n'êtes pas sérieuses, toutes les deux, j'espère ?!

MOI : Pourquoi tu dis ça ?

MIRA : C'est parce que des magasins de gazon, c'est ultra moche et personne ne voudra gagner un certificat pour s'acheter une botte de paille ! Il va falloir trouver autre chose, je vous le dis !

ANNA : As-tu déjà mis les pieds dans une boutique végé, Mirabelle ?

Mira : Non et j'en suis fière, tu sauras ! Ça sent le foin, là-dedans !

Anna : Tu pourrais découvrir des aliments super bons, je te le dis. Regarde juste ma collation. Ce sont des pousses de tournesol. Tiens, goûte !

Mira (en repoussant le bras d'Anna) : Dylane, dis à ton amie d'éloigner ce truc vert de mon visage, ça me lève le cœur !

Moi : Je peux y goûter, moi ?

Mira : OH ! Vous êtes trop dégoûtantes pour moi ! Je m'en vais !

Et elle est partie là-dessus, en nous faisant la gueule. Personnellement, sans tripper sur les pousses d'Annabelle, je n'ai pas trouvé ça si pire. Il faut dire que j'avais super faim, car je m'étais vidé l'estomac la veille, à cause de mon intoxication, et mon ventre réclamait n'importe quel aliment.

Donc, Anna et moi on a prévu de faire le tour des boutiques aujourd'hui, puisque c'est une

journée pédagogique. Elle va bientôt arriver chez moi. D'ailleurs, je vais devoir aller me préparer, mais avant, je voulais aussi te parler de Colin. Non, il n'est pas venu me voir de la semaine (quel trouillard rancunier!), mais il a envoyé un de ses amis me poser subtilement quelques questions.

C'est celui qui est rouquin qui s'est dévoué. Un certain Benjamin, qui devient rouge comme une tomate dès qu'il s'adresse à une fille. Colin doit vraiment l'avoir menacé pour qu'il accepte de venir me voir, parce qu'en trois ans, je pense que c'est la première fois que j'entends sa voix. Il est tellement gêné. Bref, Benjamin s'est arrêté à ma hauteur, dans la cafétéria, et il s'est raclé la gorge. Une chance que Mira ne dînait pas avec Anna et moi, parce qu'elle se serait fait un plaisir de l'humilier.

Dès que sa voix a retrouvé son timbre normal (enfin, normal pour un gars, parce qu'on sait tous qu'ils ont la voix qui fait des fausses notes à cet âge et qu'ils ont l'air ridicules), il a juste voulu savoir pourquoi j'avais manqué l'école. Et comme je ne me sentais pas très charitable, je lui ai dit que, si celui qui l'envoyait n'avait pas le courage de se déplacer lui-même pour me le demander, il ne saurait rien.

Benjamin a hoché la tête en vitesse et il est reparti en trébuchant dans ses propres pieds. Je me suis sentie mal pour lui, mais tout de suite après, quand j'ai vu Colin me jeter un coup d'œil, à l'autre bout de la cafétéria, j'ai su que j'avais bien réagi. Non mais, c'est vrai! S'il veut me parler, qu'il se lève et qu'il vienne me voir! On ne communiquera pas par personne interposée. *Cream puff!* C'est ridicule!

Mais il n'est pas venu. Il a froncé les sourcils et il m'a de nouveau tourné le dos. Tant pis pour lui. S'il veut continuer de bouder, grand bien lui fasse!

Je n'ai pas le temps de m'apitoyer sur notre dispute, car Anna va arriver d'un instant à l'autre. Je te laisse, cher journal, et te ferai un compte rendu de nos démarches à la fin de ma journée!

~ 18 h 58 ~

Anna vient de partir. Elle a soupé chez moi. C'est Sébas qui était content. (Il a encore un *kick* sur elle, c'est évident.) On a fait le tour de la ville au grand complet pour se faire dire la plupart du temps: NON! Personne n'a envie de donner des trucs pour une fête foraine organisée dans une école secondaire. Les gens sont tellement *cheap*…

Pourtant, on s'était mises sur notre trente-six (expression de mon père) et on a été hyper gentilles avec tout le monde. Mais à part la boutique Mettez-vous au vert, où Anna va magasiner avec sa famille, pas un seul endroit n'a accepté de nous aider. On a donc récolté seulement un chèque-cadeau de 25 $ pour magasiner dans cette fameuse boutique végétalienne.

En revenant de notre périple, nous étions plutôt découragées. Papa a invité Anna à souper avec nous, alors je lui ai fait sa recette de jus vert avec du tofu, car elle ne mange pas nécessairement les mêmes trucs que nous. Elle m'a dit que c'était parfait, surtout qu'elle s'était aussi acheté des croustilles sans gluten chez Mettez-vous au vert. Selon elle, son repas était complet. Moi, je me disais juste qu'elle risquait d'avoir faim en soirée...

Pour l'impressionner, mon frère Sébas a décidé de manger la même chose qu'elle. Je voyais qu'à chacune de ses gorgées, il grimaçait, mais Anna n'a pas semblé s'en rendre compte. Il faut dire qu'elle ne prête pas vraiment attention à mon frère, malgré tous les efforts de celui-ci. Je me demande si mon amie a encore le béguin pour Malik, mon ex. À vérifier...

J'ai demandé à Anto si sa blonde pouvait s'informer auprès de son patron, afin de nous donner une commandite, mais il a juste grogné. Je n'ai pas trop compris sa réponse. Qu'il laisse faire, je vais carrément le demander moi-même à sa blonde. Je dois bien avoir son numéro de cell quelque part. Laisse-moi chercher et je reviens.

~ 19 h 34 ~

Oups… Je viens de faire une gaffe. Bon, pas une vraie gaffe à proprement parler. Disons simplement que je me suis mêlée de ce qui ne me regardait pas. Je te reproduis mon échange de courriels avec la blonde d'Anto, tu vas comprendre :

Salut Megg !

Pourrais-tu me rendre un GRAND service ?

Allo Dylane.

Bien sûr, c'est koi ?

On fait une recherche de commandites, pour mon école.

Penses-tu que ton patron accepterait de nous donner qqchose ?

Ce serait hot d'avoir un bon-cadeau d'un magasin électronique.

Je vais voir.

Anto est revenu ?

Revenu ?

Il n'allait pas chez son ami Jonathan, ce soir ?

Pas au courant.

Il était là au souper.

Tu me niaises ?

Il m'a dit qu'il allait souper chez Jo...

Ben... faudrait lui demander.

Tu veux que je lui dise de t'appeler ?

Non, c'est moi qui vais lui téléphoner.

Et là, on s'est débranchées. Bon, je me sentais un peu mal, mais rien de catastrophique. Jusqu'à ce que mon imbécile de frère lui parle… J'ai entendu le cellulaire d'Anto sonner et quand il a répondu, il lui a dit qu'il était occupé à faire ses devoirs chez Jonathan. IL LUI A MENTI!!! Évidemment, Megg m'a textée deux secondes plus tard.

Dylane? Ton frère, il est bien chez toi?

Ouin…

OK, peux-tu me le passer avec ton cell?

Le sien ne fonctionne pas, je pense.

OK.

Et c'est là qu'Anto s'est fait prendre les culottes baissées! Pas baissées dans le sens de « à terre », mais dans le sens de « il vient de lui raconter des mensonges »! À quoi il a pensé, aussi!? Ils se sont engueulés un bon vingt minutes avant que mon frère ne rentre en coup de vent dans ma

chambre en hurlant. Papa est intervenu, parce qu'Anto ne se calmait pas du tout.

Comme si c'était ma faute! C'est lui le crétin et c'est moi qui dois payer! Parce qu'avec toute cette histoire, pas certaine que Megg va songer à demander à son patron de me donner une commandite... *Cream puff!* Pourquoi je n'ai pas des frères avec un minimum de jugement?

~ 21 h 04 ~

C'est officiel, Anto vient de casser. Sa blonde a rappelé et ils ont fini par se parler sans se crier dessus. J'ai donc eu besoin de tendre l'oreille davantage que d'habitude pour savoir ce qu'ils se disaient. (NON, je ne suis pas une fouine, je m'intéresse à la vie de mes frères, c'est tout!)

J'ai donc cru comprendre qu'Anto ne l'aimait plus. Il ne l'a pas dit comme ça, mais il a l'impression d'étouffer avec elle et de ne pas pouvoir faire ce qu'il veut. Il croit que ça va lui faire du bien d'être seul durant un moment. Pour « se retrouver », qu'il a dit.

J'ai de sérieux doutes, mais je vais les garder pour moi. Anto n'est pas du genre à rester célibataire très longtemps. Je me demande s'il n'a pas une autre fille qui lui serait tombée dans l'œil. En tout

cas, si jamais il sort avec quelqu'un dans un délai trop court, il est hors de question que j'accueille sa nouvelle blonde comme si de rien n'était! Je l'aimais bien, moi, Megg. C'est quand même grâce à elle que j'ai pu avoir un cellulaire à Noël...

Je vois bien que j'ai l'air sans-cœur quand je dis ça, mais ce n'est pas la seule raison pour laquelle je la trouvais gentille, voyons! Elle venait parfois jaser avec moi quand Anto était occupé. Et elle ne me traitait pas comme une enfant (parce qu'elle est pas mal plus vieille que moi, alors elle aurait pu). J'espère qu'ils vont reprendre, tous les deux. Et avant ma fête foraine, si possible...

Je ne sais pas encore ce que je vais faire de mon week-end. J'aurais bien aimé aller patiner avec Colin, mais je sens que ma proposition ne sera pas nécessairement très bien reçue. Je pourrais essayer de trouver un cadeau génial à envoyer à Florian, pour la Saint-Valentin... Qu'est-ce qui lui ferait plaisir? Oh, j'ai une idée! Je pourrais faire agrandir une photo de nous deux, la mettre dans un cadre et la lui poster!

OUI! C'est ce que je vais faire à l'instant. Sur sa page Facebook, je vais sûrement trouver une photo de nous deux. Je m'attelle à cette tâche sans plus attendre!

Samedi 7 février

~ 8 h 46 ~

J'ai très mal dormi. À la fois parce que j'ai passé ma soirée à chercher une photo de Florian et moi et que je n'en ai pas trouvé une seule. Et aussi parce que j'ai remarqué un détail qui m'a chicotée une partie de la nuit.

Sur sa page, Florian n'a pas inscrit qu'il était en couple… C'est louche, tu crois? Pourquoi il ne s'affiche pas? Il faut absolument que je tire cela au clair. Je vais lui écrire un texto. Même s'il est très tôt pour un samedi matin. S'il ne me répond pas immédiatement, je lui téléphone! Point à la ligne!!

~ 9 h 24 ~

J'imagine que je paniquais pour rien… En tout cas, Florian m'a répondu. Voici ses explications:

> Heille!

> Pourquoi on ne trouve aucune photo de nous deux sur ta page Facebook?

What?

T'as compris!

Réponds!

Well, je... je n'ai pas eu le temps de les mettre.

C'est tout.

Ouin, mettons.

Mais j'ai une autre question.

Pourquoi tu n'as pas mis que tu étais en couple, sur ta page?

Ah non? **I didn't?**

NON!

Tu **didn't!**

Oh, c'est vrai.

Scuse-me, je viens de me réveiller...

C'est à cause de mon père.

C'est koi le lien avec ton père ?

Il ne sait pas **yet** qu'on sort ensemble.

Si je lui dis, **your mother** aussi va le savoir.

So... tu veux qu'on leur dise ?

Ah... je comprends.

Non, attends que je parle à ma mère, avant.

En plus, il faut que je l'annonce à Mira, mais j'ai un peu peur de sa réaction.

Désolée d'avoir paniqué.

Qu'est-ce que tu croyais ?

I love you, Dylane.

Can I sleep, maintenant ?

Ouais, ouais, retourne te coucher.

Février

On se parle plus tard.

Bisous.

Kiss.

Qu'est-ce que tu en penses, cher journal? J'ai une drôle d'impression, par rapport à Florian. On dirait que je ne le connais pas très bien et j'ai beau l'aimer, je me demande s'il me dit tout.

Mais bon, je ne veux pas devenir la blonde jalouse qui empêche son *chum* de vivre non plus… Comme Megg avec Anto.

Tant qu'à être debout, aussi bien aller me préparer un bon choco… Ah non, c'est fini le chocolat chaud à la guimauve. Je dois vraiment me trouver une boisson de remplacement, moi!

Commençons par un bon grand verre de lait, tiens!

Février

Lundi 9 février

~ 7 h 11 ~

Je CA-PO-TE !

Et j'ai une trèèès bonne raison ! C'est parce que je viens de me peser. Sur la balance, je veux dire. Et j'ai pris CINQ livres, *cream puff* ! Pourquoi je voulais connaître mon poids, tu me demanderas ? Tout a commencé lorsque j'ai essayé d'enfiler mon chandail jaune. Tu sais, celui avec un arc-en-ciel. Ultra quétaine, je l'avoue. Sauf qu'il est vraiment confo (d'habitude...) et il me va comme un gant. En fait, il est un peu moulant, mais pas trop. Le tissu est super doux et je n'arrive pas à m'en débarrasser, même si je l'ai depuis longtemps.

Mais je n'aurai pas le choix de le mettre aux poubelles... PARCE QUE J'ARRIVE À PEINE À L'ENFILER ! J'ai grossi ! C'est bizarre, parce que mes pantalons me font encore très bien et il n'y a que le haut de mon corps qui semble avoir subi cette transformation (extrême !). C'est pour ça que je voulais me peser. Pour vérifier si ce n'était que dans ma tête. Afin de m'en assurer, je vais d'abord aller essayer un autre chandail. Peut-être que le premier a simplement rétréci au lavage. (C'est beau rêver...)

Je te reviens dans deux minutes.

~ 7 h 14 ~

Non. Rien à faire. Le seul chandail qui ne me serre pas la poitrine, c'est celui que Colin a oublié chez moi et que j'avais retrouvé sous mon lit l'autre jour. Bon, ça fait un bail que son chandail traîne ici, puisqu'il m'ignore depuis une grosse semaine, et je ne sais pas trop comment je vais pouvoir le lui redonner. Aussi bien le garder, tiens ! Et s'il n'est pas content, ça va l'obliger à venir me parler…

Je vais donc devoir me rendre en classe avec un truc de gars sur le dos ! C'est Mira qui va se moquer de moi. Il faut absolument que je demande à papa d'aller regarnir ma garde-robe au plus vite !

Je vais de ce pas lui en toucher un mot…

~ 7 h 18 ~

Je n'ai pas eu le temps de voir papa. Sébas m'a interceptée dans le corridor. Il m'a jeté un drôle de regard et s'est attardé un peu trop long-temps sur le chandail de Colin. Puis, il a haussé ses sourcils, avant de me lancer :

Sébas : Tu sais, pas besoin de les cacher avec un chandail trop grand. On les voit pareil...

Moi: Hein ? De quoi tu parles ? Si tu fais référence à mon embonpoint, je suis au courant ! Pas besoin d'en rajouter !

Sébas: Embonpoint ? Mais non, je parlais de tes seins ! Tu commences à être bien fournie, petite sœur !

Moi (m'étouffant avec ma salive et cachant ma poitrine de mes deux bras): Ben là ! Espèce d'obsédé ! Regarde ailleurs !

Sébas: Du calme ! C'est pas un défaut, tsé...

Là, j'ai tourné les talons. Premièrement parce que mon frère est un imbécile-pervers, mais aussi parce qu'il fallait que je vérifie si ce qu'il venait de me dire était vrai. À savoir: est-ce que mes seins ont bel et bien poussé ? Je n'avais même pas remarqué. Il faut dire que je ne passe pas mon temps à les fixer ! D'un autre côté, ce serait une bonne nouvelle. Depuis le temps que je me plains que je ressemble à une planche à repasser !

~ 7 h 23 ~

C'est officiel. J'ai essayé une de mes brassières et ça déborde de partout. Parce que, je l'avoue, je n'en mets pas tout le temps. C'est surtout lorsque je m'entraîne que c'est nécessaire. Autrement, à moins d'avoir un chandail très moulant, je ne vois pas l'intérêt.

Mais c'est chose du passé. Dorénavant, sans soutien, mes seins partent dans tous les sens. Et on voit même mes… (bon, je suis gênée de le dire, mais c'est la vérité…) mamelons qui pointent. Surtout si j'ai froid. Il est hors de question qu'un des gars de ma classe ne m'en fasse la remarque. C'est déjà beau que personne ne s'en soit rendu compte jusqu'à maintenant. Ce doit être à cause des chandails de laine que je porte.

OK, un peu de courage, je dois vraiment en parler avec papa. Peut-être qu'il acceptera d'aller magasiner ce soir…

~ 7 h 31 ~

Papa était mal à l'aise, mais il a dit oui de façon presque automatique. Être la seule fille de la maison a parfois des avantages! Sans farce, son visage a viré au rouge et il n'osait pas me regarder.

Moi : Papa, il me faut de nouveaux soutiens-gorge. On peut y aller après les cours ? Ça urge...

Papa (fixant le plafond) : Euh... oui, je te laisserai des sous et...

Moi : En fait, j'aurais aussi besoin de chandails un peu plus grands, parce que je ne rentre plus dans les miens. Tu comprends, je suis en train de devenir une femme et mes s...

Papa (très intéressé par le plancher) : OUI ! Dis-moi juste combien tu veux environ.

Moi : Génial. Comme je le disais, mes s...

Papa (complètement absorbé par le mur, derrière moi) : J'AI DIT OK ! Bon, tu me laisses terminer mon café tranquillement ? Ton autobus ne passe pas bientôt, toi ?

Moi : C'est beau, j'y vais, pas de panique ! Tu peux le dire, si mes SEINS te gênent !!

Papa (cramoisi, en s'étouffant dans sa gorgée de café) : Dy... burp... bloup... grumph... lane !

Il faisait pitié, tellement il était mal. Alors je l'ai laissé se nettoyer le visage et je suis venue m'assurer une dernière fois que je n'avais pas l'air d'une folle avec le chandail de Colin. Maintenant, espérons que personne ne me fera de remarque, à l'école. Ce serait trop la honte !

~ 19 h 02 ~

Magasiner pour une brassière, c'est vraiment le pire truc à faire, quand tu n'es pas une habituée de la chose. Comme Mira ne pouvait (voulait ?) pas venir avec moi, j'ai dû me débrouiller toute seule. Et c'était ultra gênant ! Je n'avais pas trop le goût que quelqu'un me voie entrer dans la boutique pour sous-vêtements. (Je préférais aller dans une boutique spécialisée, pour qu'une vendeuse me guide un peu.) Finalement, après avoir vérifié de tous les côtés, je me suis précipitée à l'intérieur,

sauf que dans mon empressement, j'ai fait tomber un *rack* complet de petites culottes !

Une femme est venue m'aider à tout ramasser, mais elle ne semblait pas très contente. Finalement, après avoir tout replacé, elle m'a demandé ce que je voulais (d'un un air total bête !). Mais quand je lui ai expliqué que mes seins avaient doublé de grosseur dans les dernières semaines, elle s'est calmée et elle m'a montré plusieurs modèles de brassières. Je ne savais pas trop quoi prendre, alors j'ai choisi au hasard.

Je ne me doutais pas que le pire restait à venir… La dame m'a guidée vers une cabine où il n'y avait qu'un rideau à la place de la porte. Bon, ça pouvait toujours aller, jusqu'au moment où la vendeuse m'a demandé si tout était OK. Je n'ai pas eu le temps de lui répondre qu'elle repoussait le rideau pour venir s'en assurer !

En gros, j'étais à moitié nue devant une parfaite inconnue qui s'est mise à me replacer le tissu sur mes seins ! Je n'osais pas la repousser, mais c'était humiliant à l'os ! Finalement, elle m'a plantée là pour revenir avec une autre grandeur. (Encore plus grande !) J'ai été obligée de lui demander de me laisser seule, parce que je pense qu'elle serait restée là à m'observer !

Puisque le nouveau modèle était plutôt confortable, je me suis dépêchée de me changer et d'aller payer le tout, avant que la dame ne revienne me tâter un peu partout. J'en ai pris cinq. Deux blancs, un noir, un rose et un beige. Pour le beige, c'est la vendeuse qui a insisté. Comme si j'allais mettre ça! Mais elle a fini par me convaincre que c'était cette couleur qui était la moins voyante, sous les vêtements.

Je suis sortie à toute vitesse du magasin et j'ai caché mes achats dans mon sac à dos. Ensuite, il me restait à peine une demi-heure avant que le centre d'achats ne ferme et je devais encore me trouver quelques chandails qui seraient moins ajustés. Normalement, j'achète presque tout ce que je porte dans un magasin de sports, mais je voulais faire changement, alors j'ai opté pour une boutique où Mira va souvent. Il y avait des trucs mignons et j'ai pu me prendre une dizaine de t-shirts sans dépasser le budget imposé par papa.

Je ne les ai pas tous essayés, car je n'avais plus de temps, mais je pense que les moyens me font bien. Avant, je portais du petit, mais cette époque est révolue. Vieillir, c'est parfois cool, mais il y a aussi d'autres moments où on se dit qu'on reviendrait volontiers en arrière…

~ 21 h 16 ~

Je n'aurais pas dû prendre tous ces chandails ! Je n'ai pas fait attention aux décolletés. Mais il faut dire que je n'avais jamais eu à me préoccuper de ce détail, avant ! Bien fait pour moi ! Dans la moitié des t-shirts, on ne voit que ça ! *Cream puff !!*

Bon, pas le choix… je ne peux pas retourner à la boutique ce soir. En plus, il était écrit sur les étalages qu'il s'agissait de ventes fermes. C'est parce qu'ils liquident leur stock, après les Fêtes. Je suis donc prise avec ces chandails. Je peux toujours les porter sous une veste. Ou mettre un foulard qui me cachera une partie du cou et de la poitrine… Oui, je pense que c'est ce que je vais faire.

Pour les soutiens-gorge, par contre, je suis hyper satisfaite. Et la vendeuse avait raison… c'est le beige qui paraît le moins sous le tissu. Si la bretelle ne dépassait pas quand le décolleté est trop grand, je pense que je le porterais tout le temps !

Bon, cela étant dit, ce n'est pas la raison principale pour laquelle je t'écris. Je voulais te raconter un événement MAJEUR de ma journée. Ça concerne Colin. Il a remarqué que je portais son chandail et il est venu me voir pour me demander pourquoi j'avais décidé de le mettre aujourd'hui. Je n'étais quand même pas pour lui expliquer que

ma nouvelle poitrine ne rentrait plus dans mes anciens chandails… Alors je lui ai juste dit que j'avais pris le premier vêtement que j'avais trouvé en me levant. Il ne m'a pas crue et il m'a demandé si c'était possible de le lui rendre.

J'ai promis de le laver et de le lui rapporter demain. C'est plate, je m'attendais à ce que Colin me pardonne et cesse de me bouder, mais il préfère jouer au bébé. Tant pis pour lui. En plus, il passe son temps avec Justine Lagacé, désormais ! Je les ai vus dîner à la même table plusieurs fois cette semaine et ils reviennent parfois de l'école ensemble… Ça me fait quelque chose. Je pense que je suis jalouse (ne le dis à personne, cher journal). Ouin… J'ai peur qu'il me remplace par cette fille. Qu'elle devienne sa meilleure amie.

Même si j'essaie de me convaincre que ce serait lui, le grand perdant, j'ai une boule dans la gorge qui ne veut pas partir. Pour me changer les idées, je m'en vais de ce pas mettre son chandail dans la laveuse. Comme ça, Colin va arrêter de me faire son air bête !

En plus, j'ai oublié de laver les bas de mes frères, le week-end dernier, et ils n'arrêtent pas de me harceler à ce sujet. Ils n'ont qu'à le faire eux-mêmes s'ils ne sont pas contents !

~ 23 h 01 ~

Oups… j'ai (encore) fait une gaffe. C'est Colin qui va doublement m'en vouloir. En sortant le chandail de la sécheuse, je me suis rendu compte que ce n'était peut-être pas une bonne idée de l'avoir mis en même temps que les bas de mes frères. Il y a des peluches blanches sur toute la surface du chandail.

Je ne sais pas quoi faire. Je sens que je vais devoir aller m'excuser auprès de Colin demain matin. Encore…

Mardi 10 février

~ 20 h 29 ~

Je n'ai pas eu le temps de parler à Colin aujourd'hui. De toute manière, je ne l'ai même pas vu. Il avait un entraînement, ce midi, dans le gymnase. Et à la fin de la journée, Mira m'attendait devant mon local de classe pour s'assurer que je viendrais bel et bien avec elle à la réunion du comité « Fêtes ». Je m'en serais bien passée…

Surtout que je devais trouver au moins dix commanditaires durant la semaine, mais il n'y en a qu'un seul qui a accepté de nous donner un cadeau. En plus, tous les autres jeunes se sont mis à chialer quand ils ont su de quoi il s'agissait : le chèque-cadeau de 25 $ dans la boutique végé d'Annabelle.

Mira s'est retenue de faire le moindre commentaire (étonnant, de sa part), mais j'ai vite compris que c'était parce qu'elle était carrément en pâmoison devant Philippe, le technicien en loisirs. Elle était assise à côté de lui et ne faisait que battre des cils en soupirant. Ça m'a rappelé son attitude quand elle essayait de séduire Florian, en décembre dernier. Et vu le piètre résultat de ses tentatives de séduction avec mon *chum*,

je parierais que ça ne marchera pas plus avec
Philippe qu'avec Florian.

Mais bon, qui suis-je pour le lui dire ? Après
tout, ce n'est pas comme si j'étais la fille la plus
séduisante de la poly… D'un autre côté, j'ai remarqué que certains gars du comité me lançaient de
drôles de coups d'œil. Comme si j'étais soudainement devenue intéressante. Ma cousine aussi a
perçu ces regards, car elle m'en a parlé, aussitôt la
réunion terminée. En fait, elle est carrément venue
se plaindre de mon attitude.

Mira : OK, tu le faisais exprès ou
quoi ?

Moi : Euh… scuse, je ne pige rien à
ce que tu racontes. Tu peux être
plus claire ?

Mira : Ben voyons ! De ça !

Elle pointait mon chandail, et plus exactement, ma poitrine.

Moi : C'est nouveau, je l'ai acheté
hier. Tu ne l'aimes pas ? Pourtant,
c'est une belle couleur, je trouve…

MiRa: Justement, c'est un peu trop flashant ! Tous les gars ne faisaient que te regarder. Ne me dis pas que tu ne les as pas vus ! Ils en bavaient quasiment.

Moi: Ce n'est pas ma faute si mes seins ont poussé, tu sauras. Je ne peux pas les cacher plus que ça. Déjà qu'il a fallu que je change toute ma garde-robe. Et t'es sérieuse ? Les gars me regardaient...?

MiRa: Ouin... écoute, si tu veux, je vais te donner des trucs pour ne pas trop en dévoiler, d'accord ? C'est vrai que ta poitrine a changé, mais je n'avais pas pris conscience que c'était à ce point. Tu en as plus que moi, maintenant... Ce week-end, c'est promis, on se fait une journée spéciale, juste toi et moi. D'accord ?

Moi: C'est la Saint-Valentin, samedi, tu es certaine que....

Mira: Ben là, ce n'est pas comme si on avait des **chums**. Tant qu'à passer la journée toute seule...

Moi: C'est vrai que... Oui, tu as raison... Mais bon... on ne sait jamais, tsé...

J'avais l'occasion parfaite devant moi pour avouer à ma cousine que je sortais avec Florian, mais je n'ai pas été capable de le lui dire. Je ne suis qu'une trouillarde quand il s'agit de parler des vraies choses. D'un autre côté, Mira ne s'est pas éternisée sur le sujet et elle s'est mise à rêver de ce Philippe, qui était trop parfait, selon elle.

Je l'écoutais plus que je ne parlais, car je ne trouve pas qu'il est si *hot*. Après s'être calmée, ma cousine devait se sentir généreuse, puisqu'elle a décidé de changer nos rôles dans le comité. Elle va continuer la recherche de commandites et moi, je vais essayer de trouver les trucs qui nous manquent. On va avoir besoin de machines à popcorn et à barbe à papa, et aussi d'une tente pour installer une tireuse de cartes.

Même si ce comité ne m'intéressait pas au départ, j'ai l'impression qu'on va organiser une fête géniale!

Mercredi 11 février

~ 16 h 04 ~

Entraînement ce soir. Je dois me dépêcher d'y aller, mais, dès mon retour, je dois absolument te raconter ma journée. Absolument dans le genre de « total urgent » !

~ 18 h 23 ~

Puisque je viens de revenir, tout le monde avait déjà soupé. C'est rendu qu'ils ne m'attendent même plus pour manger ! On voit à quel point je suis importante, dans cette famille... C'est vrai qu'Anto était sorti, que Fred avait un travail d'équipe à faire ce soir et que Sébas était introuvable. Mais papa, lui, il aurait pu patienter un peu, il me semble !

La seule chose qu'il m'a répondue, c'est qu'il avait des tonnes de notes à rentrer dans son ordinateur pour le prochain bulletin. Qu'il était trop occupé et que ça lui ferait plaisir de souper avec moi un autre soir. Mais pas aujourd'hui. Pfff... que des excuses ! Pour me venger de leur désintérêt pour moi, j'ai décidé d'apporter mon assiette (réchauffée au micro-ondes, ce n'est pas génial...)

dans ma chambre. Comme ça, je pourrai t'écrire et me remplir le ventre en même temps. Je l'ai mérité, après l'effort physique que j'ai fourni à mon entraînement.

Parlant de sport… avoir des seins ET être sportive, c'est vraiment désagréable. Ma nouvelle brassière a beau être jolie et confortable, elle n'est pas du tout adaptée à mes entraînements! Il va falloir que je me trouve un modèle spécialement conçu pour jouer au tennis. Parce que je me suis quasiment fait mal à sauter de la sorte. Et pour ne pas aggraver la situation, je devais me retenir la poitrine avec mon bras libre.

À cause de ça, j'ai raté des coups super faciles. Mon coach a fini par se tanner et est venu me voir pour savoir ce qui n'allait pas. J'étais un peu gênée de lui expliquer, mais je le soupçonne d'avoir compris sans que j'ouvre la bouche. Alors il m'a suggéré d'utiliser des bandages (pour nos blessures) pour mettre autour de mon torse. Ce que je suis allée faire dans les vestiaires. Ensuite, ça allait mieux.

Mais je dois de nouveau en parler à papa. À moins que je ne me débrouille sans lui… Si maman habitait encore avec nous, elle comprendrait plus facilement, j'en suis certaine.

Je prends quelques bouchées et te reviens…

~ 18 h 27 ~

En tout cas, toujours est-il que je voulais te jaser de ma journée. J'ai pu aller redonner le chandail à Colin. Je lui ai montré les peluches blanches sur le tissu, mais il ne semblait pas tellement intéressé par la chose. En fait, j'ai remarqué qu'il avait de la difficulté à se concentrer. Comme s'il avait autre chose en tête. Ça n'a pas pris deux minutes qu'il a attrapé le sac contenant le chandail et qu'il a filé. Je me suis sentie trop stupide.

Pendant qu'il s'éloignait, il m'a quand même jeté un regard en coin. Ne regardant pas devant lui, il a failli rentrer de plein fouet dans la surveillante, qui venait dans sa direction. Je me suis retenue de rire, car, malgré sa colère envers moi, Colin reste mon meilleur ami et j'aimerais bien qu'il le redevienne réellement. Très bientôt. Je m'ennuie de pouvoir lui parler. Lui raconter ma vie, mes problèmes. D'avoir son opinion à propos d'un peu tout.

De lui, quoi…

Je suis même prête à faire un effort et à accepter que Justine Lagacé soit dans sa vie, elle aussi. Je pense que je vais lui écrire un courriel. Peut-être qu'il acceptera de me lire et même de me répondre. Je te recopie mon message ici dès que je l'aurai écrit.

À : HockeyColin@mail.com
De : Dydy2000@mail.com
Date : Mercredi 11 février, 18 h 45
Objet : Qu'est-ce qui te prend ?

· ·

Salut...

J'essaie encore une fois de t'écrire, pour te dire que je pense souvent à toi et que je suis désolée pour mes mensonges. Tu le sais que je n'ai pas fait ça pour te faire de la peine ou te jouer dans le dos. Je voulais juste éviter qu'une dispute n'éclate entre nous, parce que je savais que tu détestais Florian...

Mais bon, je t'ai déjà dit tout ça et ce n'est pas la raison principale de mon message. Aujourd'hui, j'ai trouvé que tu agissais bizarrement. Qu'est-ce qui t'arrive ? On dirait que tu n'es plus capable de me regarder en pleine face, quand je te parle. Tu me détestes tant que ça ?

J'aimerais vraiment qu'on arrive à discuter et à se pardonner... Ou en tout cas, que tu me dises ce qui te tracasse. J'attends de tes nouvelles, comme toujours...

Dy

P.-S.: Si tu veux, on pourrait faire une activité, toi, moi et... Justine Lagacé...

~ 18 h 57 ~

IL A RÉPONDU ! IL A RÉPONDU !! IL A RÉPONDU !!! Je te retranscris sa réponse ici :

À : Dydy2000@mail.com
De : HockeyColin@mail.com
Date : Mercredi 11 février, 18 h 54
Objet : RE : Qu'est-ce qui te prend ?

• •

C'est moi qui m'excuse, Dylane.

J'ai été vraiment stupide, aujourd'hui. Je… je suis trop mal à l'aise pour te dire la raison de mon attitude. Tu vas rire de moi.

Col

P.-S. : C'est quoi le rapport avec Justine ?

Euh… et il me laisse là-dessus ? Sans aucune autre explication ? J'espère qu'il ne croit pas que je vais lâcher le morceau aussi facilement ! Puisqu'il semble au moins disposé à me répondre, je vais le texter immédiatement.

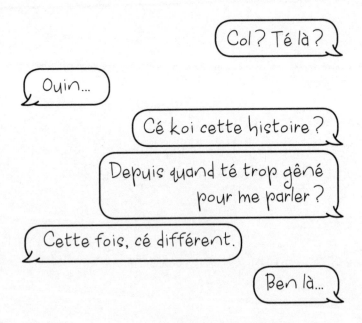

Col ? Té là ?

Ouin…

Cé koi cette histoire ?

Depuis quand té trop gêné pour me parler ?

Cette fois, cé différent.

Ben là…

Veux-tu que je t'appelle ?

NON ! Surtout pas !

Tu m'inquiètes.

PARLE !

Dyl... cé un truc de gars.

Je ne peux pas en discuter avec toi.

Comment ça, « un truc de gars » !

J'ai toujours été ta meilleure amie, je peux te comprendre !

Franchement...

Pas cette fois...

Mais pourquoi ???

Dis-moi pas que depuis que tu te tiens avec Justine Lagacé, tu ne veux plus rien me dire !!!

Cé koi ton obsession avec Justine ?

On se voit juste une fois de temps en temps.

Si tu le dis...

Cé quoi, d'abord, ton problème que tu ne veux pas me dire ?

Cé que... ça te concerne.

Hein ?

Qu'est-ce que j'ai fait ?

Rien. Cé moi.

Cé pas plus clair !

Qu'est-ce que t'as fait, coudonc ?

Dy ! Arrête !

JE NE PEUX PAS !

Mais... si tu veux, on peut se voir, demain ?

Té libre, après les cours ?

Ouin...

Je ne suis pas tellement plus avancée… Mais au moins, mon meilleur ami et moi, on va enfin se revoir! Et Justine Lagacé ne sera pas là! Fiou! Je n'aurais pas aimé devoir parler de ma vie devant une parfaite inconnue…

Demain, c'est jeudi, alors je ne m'entraîne pas et je n'ai pas de fichues réunions du comité «Fêtes» non plus. Et je n'ai pas prévu de voir Mira ou Anna. J'imagine que je n'aurai pas de nouvelles de Florian avant samedi (jour de la Saint-Valentin). Donc, je pourrai passer la soirée avec Colin! Comme avant toute cette histoire!

Je suis tellement contente que je me demande comment je vais faire pour m'endormir, ce soir!

Oh, j'entends papa qui approche de ma porte. Une minute, je vais voir pourquoi il fait autant de bruit…

~ 19 h 57 ~

Papa vient de se rendre compte que j'ai soupé dans ma chambre. Et il n'était pas content! Il m'a dit que la nourriture, c'est dans la cuisine que ça devrait aller, et non sur mon lit. Que même si je soupe toute seule (mon argument, devant sa tirade), je dois le faire à la table. Que c'était déjà assez le bordel dans ma chambre (non mais, de quoi il se mêle?!), pas besoin d'en rajouter une couche avec de la bouffe. Que ça attirait les bibittes. Et bla bla bla!

Bref, comme punition, j'ai dû laver la vaisselle de TOUT le monde! Mes frères y compris! (Ben, pas tous, car il n'y a que Fred qui est revenu souper à la maison.) N'empêche, je trouve ça total injuste. *Cream puff!* Je n'ai mangé qu'un peu de poulet réchauffé avec des brocolis. Pas de quoi salir mes couvertures.

Papa panique ENCORE pour rien! Et le pire, c'est que je me suis trahie moi-même en allant voir ce qu'il faisait dans le corridor. Je n'aurais pas dû tenir mon assiette dans mes mains. J'aurais dû la laisser sur mon lit et papa ne se serait rendu

compte de rien… En fait, mon père cherchait son fil de recharge pour son portable et il farfouillait dans la maison à la recherche de toutes les prises électriques, au cas où il l'aurait oublié là.

C'est parce que son ordi est presque complètement déchargé et il a encore beaucoup de boulot. Donc, il était en état de panique. Ça doit être pour ça qu'il m'a crié dessus pour une raison aussi futile. Au fond, je ne devrais pas m'en préoccuper, parce que je suis à peu près certaine qu'il ne verrait pas la situation du même œil s'il était moins stressé.

En plus, je sais très bien où il est, moi, son fil de recharge. Mais je ne vois pas pourquoi je le lui dirais… S'il me parlait correctement, je ne dis pas…

~ 20 h 26 ~

J'ai eu pitié de papa et je suis quand même allée lui porter son fil. Je n'aurais peut-être pas dû, parce qu'il ne m'a pas remerciée ! Il a attrapé le fil et il est retourné dans son bureau pour travailler. Ça m'inquiète, quand il est dans cet état. Des plans pour qu'il fasse un *burn-out*. Je pourrais lui offrir mon aide…

~ 20 h 28 ~

Il m'a dit, et je le cite: «Mêle-toi de tes affaires, Dylane, et commence par terminer tes propres devoirs avant de me proposer de m'aider. Merci, bonsoir!»

C'est la dernière fois que je joue à la gentille petite fille! *Cream puff!* Mon père ne se rend pas compte de la chance qu'il a d'avoir une enfant comme moi! Un jour, il va s'en mordre les doigts, parce qu'à force de fréquenter des gens tels que lui, je vais devenir insensible aux autres et perdre toute forme d'empathie.

Sur ce, je m'en vais faire MES travaux! J'ai une présentation orale à terminer, en plus! Et même si j'haïs ça, les exposés oraux, ça risque d'être plus intéressant que de passer du temps avec mon père!

~ 21 h 19 ~

Papa est venu s'excuser d'avoir levé le ton. Il dit qu'il est très stressé par le travail. Pour se faire pardonner, il m'a apporté un chocolat chaud! Je n'ai pas eu le cœur de lui dire que je n'en buvais plus...

Je l'aime bien, mon père. (Mais pas tout le temps non plus!)

Vendredi 13 février

~ 7 h 38 ~

Est-ce que je dois VRAIMENT te rappeler quel jour nous sommes? Vendredi 13... Il va falloir que je fasse attention de ne pas passer sous une échelle, de ne pas croiser de chat noir et de regarder de chaque côté de la rue avant de traverser. On ne sait jamais...

Je n'ai pas le temps de te raconter ma soirée d'hier avec Colin. Ce soir, sans faute, si je suis toujours en vie, je te reviens à ce sujet!

~ 16 h 39 ~

Je me prépare pour aller chez Mira. Elle a changé notre «journée spéciale» en «soirée spéciale»... Elle ne m'a pas trop expliqué ce qu'elle avait demain, mais elle est occupée, si j'ai bien compris. Bref, je m'en vais dans dix minutes et je n'ai pas le temps de t'expliquer ma réconciliation avec Colin. Si je ne reviens pas trop tard ce soir, je t'écris.

Sinon, tu devras patienter jusqu'à demain matin...

Samedi 14 février

~ 10 h 24 ~

Belle surprise à mon réveil… Florian m'avait envoyé un bouquet de fleurs pour la Saint-Valentin! Teeellement romantique! Je suis sous le charme. Surtout que j'en avais bien besoin, disons… Parce que depuis jeudi, je suis mêlée. Je ne sais plus où j'en suis. Et tout cela, c'est la faute à Colin!

Attends, je reprends du début. Jeudi, comme prévu, Colin et moi, nous sommes revenus ensemble de l'école et je l'ai invité à rentrer chez moi. (Parce que chez lui, il y a son chien Glaçon et je suis trop allergique pour rester longtemps. Si je veux y aller, je dois d'abord prendre mes antihistaminiques.) Bref, on est allés s'installer dans ma chambre où on a parlé de tout et de rien. Je voyais bien que quelque chose le chicotait, mais il n'avait pas l'air de vouloir aborder le sujet tout de suite.

C'était génial de passer du temps ensemble. Je voulais revenir sur notre dernière dispute et sur le fait que je lui avais menti, mais il a levé la main pour m'en empêcher. Notre discussion ressemblait un peu à ça :

COLIN: Laisse tomber. J'ai été aveugle. C'était pourtant évident et je pense que je ne voulais pas voir que ça finirait par arriver. Toi et Florian, je veux dire...

Moi: Mais j'aurais dû te le dire quand même. T'es mon meilleur ami et on se dit tout. Non ?

Il y a eu un petit silence et je sentais que Colin était mal à l'aise. Finalement, il s'est tourné sur le côté (on était allongés sur le lit, l'un à côté de l'autre) et il a posé sa tête sur sa main pour mieux me regarder. Il hésitait, mais finalement il s'est lancé, sans me fixer dans les yeux.

COLIN: Je... euh... j'ai repensé à notre histoire et je me suis demandé pourquoi j'étais si en colère contre toi. Bon, évidemment, je n'étais pas très content que tu m'aies caché des trucs. Parce que tu es ma meilleure amie, mais... il n'y a pas que ça.

Moi: Ah... il y a quoi, alors ?

COLIN : Ça fait longtemps que j'aurais dû me l'avouer. Je ne sais pas pourquoi j'ai fait comme si je ne ressentais rien. Après notre premier baiser... en octobre...

Moi : Tu es sûr que tu veux revenir là-dessus ? C'est déjà assez gênant !

COLIN : Oui ! Il faut que je le dise. Ben voilà, j'aimerais mieux qu'on ne soit plus amis, toi et moi...

Moi : QUOI ?!? T'es venu ici pour me dire ça ! C'est vraiment, mais vraiment pas cool de ta part ! En plus, je ne suis pas d'accord du tout !

Je m'étais redressée sur le matelas et Colin a fait pareil. Il m'a attrapée par les épaules pour que je me calme. (Parce que j'étais pas mal en mode panique, je dois bien le dire...) Et là, en me regardant dans les yeux, il a ajouté :

COLIN : Je ne veux plus être ton ami, parce que je t'aime. Et j'aimerais être ton **chum**...

Je n'ai pas répondu. Non mais, qu'est-ce que j'aurais pu dire, de toute manière? Colin a hoché la tête et il s'est remis debout. Juste avant de sortir de la chambre, il m'a murmuré de prendre tout mon temps pour y réfléchir. Mais que, de son côté, ses sentiments ne changeraient pas. Qu'il allait m'attendre, s'il le fallait. Dès qu'il a refermé la porte, je me suis laissée retomber sur le lit. Mon cœur battait fort et des larmes ont commencé à couler sur mes joues.

Pourquoi ce qui nous fait le plus plaisir, dans la vie, peut à la fois nous faire aussi mal?

~ 17 h 02 ~

À part les fleurs, je n'ai toujours aucune nouvelle de Florian… Je pense que je vais l'appeler. Peut-être qu'il attend ma réaction?

~ 17 h 04 ~

Bizarre… Il n'est pas là. Ça ne répond pas à la maison. Ma mère a dû aller souper avec mon beau-père. Mais où peut bien être Florian?

~ 19 h 18 ~

Même par courriel, il ne se manifeste pas. Et il n'est pas non plus sur Facebook. Je commence

Février

à croire qu'il me cache un truc! Je n'aime pas ça du tout!

~ 22 h 36 ~

Tannée d'attendre. Je me couche. Mais il est mieux d'avoir une bonne raison pour m'avoir fait poireauter de la sorte! Dire que je trouvais que la journée avait bien commencé…

~ 23 h 58 ~

Oh! Mon cell vient de biper! C'est un texto de Florian. Une chance que je ne dormais pas encore (je fixais le plafond, en me demandant où mon *chum* pouvait bien être…).

Ce n'était qu'un court message. Je ne vais pas lui répondre. Il ne le mérite pas! Mais je t'écris ici ce que ça dit:

> Good night, baby.

> I love you.

> J'espère que tu as aimé les **flowers**.

> XXX

Pfff… Je me fiche bien de ses fleurs, s'il ne peut même pas prendre deux minutes pour me souhaiter une belle Saint-Valentin de vive voix! Ah… je suis trop fru, je lui réponds quand même:

> Tes fleurs sont déjà fanées.

> Je n'aime pas les roses et ça me fait éternuer.

> La prochaine fois, prends donc 2 min pour appeler, à la place!!!

Cette fois, je ferme mon cellulaire. Je ne veux pas me faire réveiller par le prochain bip. Et toute cette attente m'a épuisée. J'arrive à peine à garder les yeux ouverts. Je risquerais d'écrire des stupidités. Demain, je lui dirai ce que je pense de son attitude!

Dimanche 15 février

~ 11 h 25 ~

J'ai été réveillée non pas par un nouveau bouquet de fleurs (quoique ça aurait été une bonne façon de se faire pardonner), mais par l'appel de détresse de Mira. Elle veut absolument me voir. Je ne sais pas ce qu'elle a, mais ça semble assez sérieux pour qu'elle se lève avant midi un dimanche…

Je te raconterai de quoi il retourne un peu plus tard. Et pour Florian, on verra bien ce qu'il a à me dire dès que je lui téléphonerai. Parce qu'il n'a rien répliqué à mon dernier texto.

~ 21 h 17 ~

Journée passée chez ma cousine. Elle est en pleine panique (avec raison). Un peu tard pour te dire ce qui lui arrive, surtout que je viens de me rendre compte que j'ai un examen demain matin. Oups! Il faut que j'étudie. Si je le peux, je reviendrai te parler avant de me coucher.

Lundi 16 février

~ 18 h 46 ~

Décidément, je me couche trop tard depuis quelques jours. Après, je passe mon temps à bâiller et il paraît que ce n'est pas poli (selon le prof d'histoire…). D'abord, si son cours était plus intéressant, ça aiderait! Et ce n'est pas ma faute si j'ai des tonnes de problèmes (à commencer par le silence radio de mon *chum*!) et que je fais de l'insomnie!

En vieillissant, les adultes deviennent beaucoup trop susceptibles. Et insensibles! Mais bon, au moins, j'ai terminé mon dernier examen de la semaine. Il me reste ma présentation orale (JE DÉTESTE ÇA!!!), mais mon texte est presque prêt. Et je dois aussi m'exercer, ce soir.

Sérieux, qui aime ça, parler devant la classe au complet? PERSONNE! Alors pourquoi les profs s'obstinent à nous donner ce genre de devoirs?! En plus, c'est zéro représentatif de notre apprentissage. Mais madame Lemieux croit que ça va nous aider plus tard. Nous aider?! Mais à quoi???

Je ne compte pas devenir présentatrice télé, animatrice de je ne sais trop quoi ou annonceuse

de pubs ridicules! Bref, je ne vais pas avoir besoin de mes qualités d'oratrice dans mon futur travail! Mais ça, la prof ne veut pas l'entendre. Alors on est coincé pour parler devant une gang de jeunes qui s'ennuient ou qui ne nous écoutent même pas, parce qu'ils sont trop stressés à l'idée d'avoir eux-mêmes à aller devant les autres!

Il faut dire que c'est difficile d'être intéressante quand notre sujet de présentation est un des partis politiques. De un, je n'écoute pas les infos. Dès que papa les met à la télé, je file vers ma chambre. Très peu pour moi, les mauvaises nouvelles... Et je confonds un peu tous les partis... Je ne me souviens plus du nom du premier ministre non plus. Mais quoi?! Ça change tous les quatre ans, de toute manière! Et comme je n'ai même pas le droit de voter...

D'un autre côté, c'est clair que, lorsque je vais avoir le droit d'y aller, je vais faire mon devoir de citoyenne! C'est comme ça que papa appelle ça. Et Anto va toujours voter, lui aussi. En tout cas, quand il n'oublie pas d'y aller...

J'ai choisi de parler du Parti vert. C'est cool, le vert, et ça me fait penser à Annabelle. Mais c'est un peu plus compliqué que ça en a l'air et je ne comprenais pas grand-chose à leur programme...

Février

Je vais demander à Anto de m'aider. Il doit s'y connaître, puisqu'il va tout le temps manifester, quand il est en grève à l'université. Il est vraiment impliqué dans la politique.

Bon, je me fais un chocolat chaud (le dernier...), je vais voir Anto pour lui poser mes questions et je te reviens, pour te parler de Mira. (Sujet chaud, tu vas voir.)

~ 19 h 01 ~

Peuh! Anto n'y connaît absolument rien de rien! Voici ce qu'il m'a répondu:

Moi: J'ai besoin de toi pour ma présentation. C'est sur la politique.

Anto: Et qu'est-ce qui te fait croire que j'y connais quelque chose...?

Moi: Ben voyons! Tu vas toujours voter quand l'université est en grève. Tu dois bien y comprendre un truc ou deux.

Anto: Pantoute! Je vote juste pour avoir plus de temps pour finir mes travaux.

Moi : Tu me niaises ?

ANto : Je n'ai pas le temps de te parler, faut que j'appelle Émilie.

Moi : C'est qui, Émilie ?

ANto : Une fille que je vois depuis... Ah pis, ce n'est pas tes oignons !

Si je résume : mon frère est le pire fainéant de l'univers ET il a déjà une autre blonde !!! Même s'il vient de laisser Megg ! Je n'en reviens pas. Il ne voulait pas du tout se « retrouver seul » un moment. Il voulait juste aller voir ailleurs ! *Cream puff !* Je m'en doutais...

Bref, je ne sais plus trop qui aller voir pour résoudre mes problèmes de politique... En attendant que mon père soit dispo (il est encore en train de rentrer les notes de ses élèves dans son ordi), je vais te relater les mésaventures de ma cousine.

Tu te souviens sûrement qu'elle avait un truc samedi et qu'on ne pouvait donc pas se voir durant la journée. Eh bien, elle vient de m'avouer de quoi il s'agissait. Puisqu'elle se retrouvait toute seule pour la Saint-Valentin (sans *chum*, je veux dire), elle a décidé de rappeler son ex. OUI ! Je

parle bien d'Émile-le-débile! Cet idiot a tout de suite accepté de la revoir.

Mais pas en personne, parce qu'il était dans sa famille pour la fin de semaine. Mira et lui se sont donc parlé sur Skype. Et c'est là qu'elle a fait une INCROYABLE gaffe! Je n'appelle même plus ça une gaffe. Je dirais plutôt que c'est le truc le plus IDIOT qu'elle a fait de toute sa vie!

Sans farce, c'est juste total absurde. Je n'en reviens pas encore. Surtout que maintenant, Mira est dans la chnoute! Jusqu'au cou! OK, je te résume.

Émile et elle ont discuté pendant un moment. Puis, comme c'était la fête de l'amour (la Saint-Valentin, quoi!), Émile lui a dit qu'elle lui manquait, qu'il pensait souvent à elle et qu'il se sentait triste depuis leur séparation. Mira lui a répondu qu'elle pensait souvent à lui, elle aussi. (N'importe quoi! Elle ne pense jamais à lui, c'est elle qui me l'a dit!) Et là, Émile lui a demandé des preuves… Des preuves, pfff! Je l'aurais envoyé promener, moi!

En tout cas, il lui a dit qu'il voulait en voir un peu plus. Dans le genre de : pas de chandail! Exactement! Il voulait qu'elle lui montre ses… Qu'elle enlève son… Qu'elle se mette toute… Je pense que tu as compris. Tout ça pour dire qu'elle a dit OUI!

Elle a accepté! Mais qu'est-ce qui a bien pu lui passer par la tête?!

Alors elle a retiré son chandail. Heureusement, elle n'a pas enlevé son soutien-gorge. Elle s'est cachée un peu avec ses mains, avant de se rhabiller en vitesse. Mais il a quand même vu le principal! Après ça, ils ont parlé encore quelques minutes, mais Émile a soudainement eu d'autres choses à faire... Pas étonnant!

Mais le pire était encore à venir...

Dimanche matin, elle est allée jeter un coup d'œil sur Facebook et devine ce qui l'attendait??? Des photos d'elle! Presque nue! Qui circulaient librement entre tous ses amis!

Je te laisse deviner l'état dans lequel elle se trouve présentement...

Disons qu'elle n'avait pas tellement le goût d'aller à l'école, ce matin. Je la comprends! Chose certaine, Émile vient de prouver haut la main qu'il était bel et bien un débile!!!

Présentement, la plus grande préoccupation de ma cousine est que ses parents ne l'apprennent pas...

Oh, papa vient de se libérer. (Je l'entends se préparer à grignoter dans la cuisine.) Je vais aller voir s'il peut m'aider pour ma présentation.

~ 19 h 39 ~

C'est LUI ! C'est PAPA le coupable qui laisse les portes de la cuisine ouvertes !! Papa n'est pas mieux que mes frères !!! Je viens de le prendre sur le fait...

Quand je suis arrivée dans la cuisine, il n'y était déjà plus, mais TOUTES les portes des armoires (ou presque) étaient restées ouvertes !!!

Je ne sais pas ce que je donnerais pour vivre dans une maison où les gens savent refermer les portes qu'ils ouvrent ! Je ne me suis pas gênée pour aller le reprocher à mon père. Mais il a baragouiné un truc sur le fait qu'il était hyper occupé et qu'il n'avait pas de temps à perdre avec des détails semblables... *Cream puff!* J'ai l'impression d'être la seule adulte dans cette maison !

Au moins, il m'a aidée pour mon travail. Ma présentation est prête. Une fois cela réglé, je n'ai pas pu m'empêcher de lui poser quelques questions...

Moi : Dis... euh... est-ce que tu as déjà connu quelqu'un qui s'était fait... euh... intimider sur Internet ?

Papa: Ça s'appelle de la cyberin-timidation. Mais pourquoi tu me demandes ça? As-tu des problèmes?

Moi: NON! NON, pas moi! C'est juste que...

Papa: Pas toi? Qui, alors? Une de tes amies?

Moi: Mais non, arrête de m'inter-rompre. Je me posais juste la ques-tion. C'est tout! Vraiment! C'est tout, tout, tout! Je n'ai rien à dire. Rien pantoute.

Papa: Tu sais, Dylane, plus tu en rajoutes et moins je te crois... Mais on va faire semblant que tu ne connais personne qui se fait inti-mider, d'accord?

Moi: Hum, hum...

Papa: Par contre, SI JAMAIS tu connaissais quelqu'un à qui cela arrive, tu pourrais aller voir la direc-tion de l'école.

Moi : JAMAIS DE LA VIE ! Des plans pour que tout le monde sache que Mi... Que quelqu'un a fait des trucs idiots...

Papa : Voyons, ça se passerait de façon confidentielle. Mirabelle peut faire confiance au directeur. Il existe des mesures justement pour les jeunes qui vivent ce genre de problème.

Moi : QUI T'A DIT QUE C'ÉTAIT MIRA ?!

Papa : Comme je te le répète toujours, Dylane, on peut lire en toi comme dans un livre ouvert, tu sais...

Moi : Pfff... N'importe quoi !

J'espère juste que papa n'ira pas le dire à qui que ce soit... *Cream puff !* Mira ne me le pardonnera jamais si ça se rend jusqu'aux oreilles de ses parents !

Mercredi 18 février

~ 7 h 02 ~

Présentation orale ce matin. Je ne suis pas stressée. Je ne suis pas stressée. Je dois le répéter au moins dix fois dans ma tête, selon l'article que j'ai lu hier soir. Ça s'appelle faire de la visualisation. J'imagine que ça va finir par me rentrer entre les deux oreilles.

Et que je vais arrêter d'avoir d'horribles crampes à l'estomac...

~ 16 h 34 ~

J'ai fait ça comme une championne! OK, j'ai confondu certains termes (c'est donc bien compliqué, aussi, la politique!) et j'ai oublié que la représentante du parti s'appelait Elizabeth May, mais heureusement, j'avais un truc pour m'en souvenir, parce que ça ressemble à Marie-Mai, sauf que je l'ai carrément appelée du nom de la chanteuse...

Tout le monde a ri et j'ai pu m'en tirer en faisant croire que j'avais fait une blague. Ouf! En plus, on nous a remis notre bulletin à la fin de la journée et j'ai des super bonnes notes! Même en histoire et éducation à la citoyenneté! OK,

en sciences et techno, je suis un peu en bas de la moyenne, mais ça va.

J'ai hâte de montrer mon bulletin à mon père. Il va être content. Et il va sûrement m'offrir un petit cadeau… Mais il n'est pas encore revenu de l'école. En fait, ce soir et demain toute la journée, il doit rencontrer les parents de ses élèves. On est donc seuls à la maison pour se faire à manger.

Comme ce ne sont pas mes frères qui risquent de se charger du souper, je vais aller voir si papa a laissé des sous pour qu'on se commande de la pizza. Ce serait cool ! J'ai congé pour les deux prochains jours et je compte bien en profiter !

Colin veut qu'on se voie, mais je ne sais pas si je vais le rappeler (depuis sa déclaration, je suis un peu mal à l'aise avec lui). Il y a aussi Mira qui ne sait plus où donner de la tête avec les photos d'elle qui circulent sur Internet. Je pourrais l'inviter pour lui changer les idées… Oui, je l'appelle et te reviens en soirée !

(Parce qu'il faut que je te raconte ma réconciliation avec Florian…)

Jeudi 19 février

~ 11 h 15 ~

Mira a dormi chez moi. Là, elle vient de partir, mais elle ne va pas bien du tout. Je ne l'ai jamais vue dans cet état. Il faut vraiment qu'on fasse quelque chose pour les photos. Je lui ai suggéré d'aller porter plainte au directeur, mais elle a refusé net. À cause de ses parents. La situation est en train de dégénérer. Mira m'a même raconté que des gars de l'école l'avaient abordée, hier, pour lui proposer de jaser sur Skype…

Pas besoin d'être une lumière pour comprendre ce qu'ils voulaient, en fait !

Elle n'a jamais été aussi populaire. Mais pour de très mauvaises raisons, par contre ! Pour lui venir en aide, j'ai fait quelques recherches sur la cyberintimidation et je lui ai imprimé quelques articles intéressants. Elle a à peine feuilleté le tout. Pourtant, j'avais travaillé super fort sur le sujet. Tiens, je glisse ici les résultats de ma recherche. Tu vas voir, il y a des tas d'infos pertinentes.

La cyberintimidation

Voici un dossier complet sur la cyberintimidation. De quoi s'agit-il, en fait? Lorsque toi ou quelqu'un que tu connais vous faites intimider, blesser ou humilier au moyen des diverses formes de technologie (Internet, cellulaire, réseaux sociaux, etc.), on parle de cyberintimidation. Beaucoup de jeunes y sont confrontés, un jour ou l'autre. Personne ne mérite de vivre pareille situation et il y a plusieurs choses à faire pour s'en sortir. Tu trouveras des conseils à ce sujet un peu plus loin.

EXEMPLES CONCRETS DE CYBERINTIMIDATION :

- Quelqu'un t'a envoyé des textos, des courriels ou des messages instantanés cruels ou menaçants.
- On a affiché des photos de toi embarrassantes.
- Un site Internet a été créé pour se moquer de toi.
- Sur ta page Facebook, des gens viennent t'insulter.
- De faux comptes ont été créés à ton nom pour rire de toi.
- Des secrets ou des rumeurs sont publiés à ton sujet sur Internet.
- Tu te fais harceler dans des jeux vidéo en ligne.
- On donne de mauvaises notes à tes photos dans des sondages en ligne.

QU'EST-CE QUE JE PEUX FAIRE ?

Ne réponds pas à tes détracteurs. Ça ne vaut pas la peine et tu perds ton énergie.

Sauvegarde toutes les preuves de harcèlement que tu vivras. Ne les supprime surtout pas, car elles montreront ce que tu as vécu. Fais une capture d'écran, si tu ne peux pas tout enregistrer.

Si tu te fais harceler par une personne en particulier, bloque-la pour ne plus recevoir ses messages. Si tu ne sais pas comment le faire sur ton cellulaire, contacte ta compagnie de téléphone.

Parle à une personne de confiance, qui pourra t'aider à y voir plus clair. Si tu reçois des menaces, n'hésite pas à communiquer avec la police.

Trucs utiles :

Pour passer au travers de ces mauvais moments, entoure-toi de gens qui t'aiment, t'apprécient et t'appuient. De plus, il existe certaines règles de sécurité que tu devrais toujours suivre :

• Ne jamais donner tes mots de passe à qui que ce soit, même pas à tes amis !
• Ne mets pas n'importe quelle photo de toi en ligne…
• Des paramètres de confidentialité existent sur les sites que tu utilises. Informe-toi à leur sujet.

Maintenant que tu es plus informé au sujet de la cyberintimidation, pose des gestes respectueux à ton tour envers les autres. Assure-toi que ce que tu écris n'est jamais blessant pour autrui. Ainsi, tu te feras davantage respecter. Et en cas de besoin, n'oublie pas que des ressources existent pour t'aider.

Sources :
https://jeunessejecoute.ca/Teens/InfoBooth/Bullying/Cyberbullying.aspx

123

~ 14 h 51 ~

Colin vient de m'appeler. Il veut qu'on aille au cinéma. C'est une bonne idée, parce que la journée est looooongue! Fred et Anto ne sont pas là (ils ont des cours aujourd'hui) et Sébas a décidé de passer la journée chez un ami. Bref, je suis seule et je m'ennuie à mourir. Sans compter que Florian a de l'école, lui, et que je ne peux pas lui parler ni le texter.

Parlant de Florian. J'ai le temps de te raconter notre réconciliation avant que Colin arrive. (On part ensemble pour se rendre au cinéma.) Donc, j'ai enfin pu savoir ce que mon *chum* faisait à la Saint-Valentin. Il m'a expliqué que ses amis célibataires avaient organisé une soirée pour ceux qui étaient seuls ce soir-là. Il y est allé, car il se sentait un peu comme eux lui aussi, puisque j'habite si loin.

J'ai trouvé que c'était une excuse un peu poche, puisqu'on aurait pu se parler sur Skype, mais j'étais tannée qu'on soit en froid. Alors je lui ai pardonné. Surtout que ses fleurs étaient vraiment belles et que, malgré ce que j'ai pu dire, j'étais contente qu'il m'en envoie. Je ne sais pas quand on pourra être ensemble, Florian et moi. Peut-être pour Pâques… Ou avant. Maman a parlé de

m'inviter chez elle durant une fin de semaine. Je ne sais pas encore. Ce serait le *fun*.

Parce que pour être franche avec toi, cher journal, je commence à me demander à quoi ça rime, cette relation avec Florian… On ne se voit jamais, il n'est presque jamais là quand je veux lui parler et il me sort toujours des explications bizarres. Je ne veux pas avoir l'air parano, mais je me demande parfois s'il me ment ou non…

Et je ne peux même pas en parler avec Colin ou avec Mira. Il n'y a qu'à Anna à qui je peux me confier. D'ailleurs, ce soir, je vais l'appeler pour avoir son avis. Et en même temps, je lui demanderai où elle en est, avec son béguin pour Malik.

Sur ce, je te laisse, j'aperçois Colin par la fenêtre du salon !

Dimanche 22 février

~ 19 h 24 ~

OMG! Je capote! Je soupçonne Sébas de t'avoir lu, cher journal!!! C'est que depuis jeudi, je te cherchais (tu sais, après mon départ pour le cinéma avec Colin?), mais je ne te trouvais nulle part. Jusqu'à ce que je fasse le lavage (OBLIGÉE par papa) et que j'aille porter la pile de bas propres dans la chambre de Sébas. Et là, sur sa table de chevet (caché sous une revue de hockey), tu étais là!!!

Il faut que je tire les choses au clair. Mais si mon frère a bel et bien lu tes pages, je vais l'étriper!

~ 19 h 31 ~

Sébas dit que ce n'est pas lui qui l'a mis là! Espèce de menteur! C'est ce que je lui ai crié avant que papa s'en mêle et m'envoie dans ma chambre. Je suis coincée ici jusqu'à ce que je règle ma chicane avec mon frère.

Papa ne comprend rien. Un journal intime, c'est super important et PERSONNE ne doit le lire! Alors si Sébas y a fourré son nez, c'est comme…

c'est comme s'il m'avait volé un truc. C'est hyper grave ! Mais mon père dit que ce n'est pas la fin du monde ! PAS LA FIN DU MONDE !! Ce sont ses paroles exactes ! *Cream puff !*

~ 19 h 33 ~

Je me demande si Sébas a lu tout ce que j'ai écrit à propos de Mira… et de son histoire de photos…

~ 19 h 35 ~

Et sur le fait que mon amie Annabelle aime Malik…

~ 19 h 37 ~

ET QUE COLIN M'A FAIT UNE DÉCLA-RATION D'AMOUR !!!

~ 19 h 39 ~

Sébas va me le payer… OH QUE OUI !

~ 20 h 01 ~

Je cherche comment je vais lui rendre la pareille… Rien ne me vient. Mais je vais finir par trouver. Habituellement, je suis une fille qui a des tas d'idées. Je sens que ça va venir…

~ 21 h 23 ~

OK, toujours rien. Mais je me creuse les méninges. Surtout qu'il est venu me voir pour me dire qu'il avait tout lu, finalement. C'est papa qui l'a forcé à me l'avouer. Je sais qu'il ne se sent pas coupable parce qu'il n'avait pas l'air de trouver ça important. C'était genre:

Sébas: Bon, c'est vrai, je l'ai lu, ton fichu journal. Contente?

Moi: Euh... laisse-moi réfléchir... NON!!!

Sébas: Ben là, je m'excuse. Qu'est-ce que tu veux de plus? Je ne vais pas me mettre à genoux pour te faire plaisir!

Moi: Ce serait déjà un début, mais ce ne serait nettement pas suffisant. Je réfléchis à la question, ne t'en fais pas. Je vais trouver comment me venger...

Sébas (en criant à notre père): Papaaaaaaaa! Dylane a dit qu'elle voulait se venger!!

Moi : Heille ! Ferme-la !

Sébas (toujours en criant) : Et elle vient de me dire de me la fermer !!!

Papa (en m'appelant, du salon) : Dylane, parle comme il faut ou tu vas rester dans ta chambre encore longtemps !

Moi : MAIS C'EST PAS JUSTE ! C'EST SÉBAS QUI A LU MON JOURNAL !!

Papa (sans se lever le moindrement) : Ce n'est pas la fin du monde, ce n'est qu'un journal, Dylane. Taisez-vous un peu, vous deux, j'ai besoin de concentration pour faire ma préparation de cours !

Moi (tout bas, à mon frère) : Toi, tu ne perds rien pour attendre...

Et là, il m'a fait une grimace. Comme un bébé de deux ans ! Je déteste mon frère ! Je le déteste à mort !! S'il vient encore m'écœurer, je ne vais pas pouvoir me retenir et je vais lui sauter à la gorge.

Février

~ 21 h 32 ~

Bon… pas à la gorge (je ne suis pas une fille violente), mais je vais lui régler son compte !

Lundi 23 février

~ 7 h 26 ~

La fête foraine a lieu vendredi ! Demain, dernière réunion du comité « Fêtes » (finalement, ça ne m'a pas demandé trop de temps) et je dois absolument trouver une machine à barbe à papa. Pour le popcorn, Colin en avait une et il a promis de me la laisser. En plus, sa machine peut même préparer du popcorn au caramel ! Je dois d'ailleurs aller la chercher cette semaine.

Mais je n'ai encore aucune idée de l'endroit où je pourrai dénicher une machine à barbe à papa… Je commence à angoisser au max.

~ 16 h 01 ~

Il faut que j'aille m'entraîner, mais je n'ai pas la tête à ça… Il FAUT que je trouve une machine !

Mardi 24 février

~ 7 h 11 ~

Je ne me sens pas très bien. J'ai mal au ventre… Peut-être que je ne devrais pas aller à l'école, aujourd'hui ? Il me semble que je suis un peu chaude. Je vais demander à papa ce qu'il en pense.

~ 7 h 16 ~

Avec son insensibilité habituelle, papa a dit que je ne faisais pas de fièvre du tout ! Et que je devais aller à l'école. Pourtant, j'ai vraiment mal au ventre. Je retourne lui expliquer la situation. Je vais bien finir par lui faire comprendre que je ne fais pas semblant.

~ 7 h 34 ~

Pas moyen… Il faut que j'y aille. Mon cœur bat très fort dans ma poitrine. Et il me semble que mon bras est légèrement engourdi… Ce sont les mêmes signes que lors d'une crise cardiaque…

~ 7 h 35 ~

OMG ! JE FAIS UNE CRISE CARDIAQUE !!!

~ 7 h 41 ~

Fred croit que je fais une crise de panique. Mais pourquoi je serais en panique? Tout va bien dans ma vie, en ce moment. À part cette fichue machine à barbe à papa que je n'arrive pas à trouver!!! Et le fait que j'aie une réunion ce soir où les autres vont me chialer après parce que je n'ai pas été capable de faire la seule chose qu'on m'avait demandée… Surtout que j'avais aussi échoué lamentablement avec ma recherche de commanditaires! Je suis trop nulle pour faire partie de ce comité!

~ 7 h 49 ~

Et pour en rajouter une couche, je viens de rater mon autobus!!! Bon, papa ne s'est pas mis en colère et il a dit qu'il viendrait me reconduire…

~ 19 h 36 ~

J'AI RÉGLÉ MON PROBLÈME! Durant le trajet pour aller à l'école (avec mon père), je lui ai dit ce que j'avais sur le cœur et il a trouvé une solution. Il connaît quelqu'un qui a une machine à barbe à papa! Et il va me l'apporter dès demain! Ouf!!! J'ai pu dire aux autres membres du comité que j'avais tout trouvé! Et je n'ai pas eu l'air d'une dinde! Même Mira doutait que j'y arriverais.

Parlant de Mira, elle avait vraiment la mine basse. Encore… Il faut qu'on trouve une solution et vite au sujet des photos d'elle sur Facebook! Tiens, je vais commencer par aller voir les photos en question sur Internet. Je pourrai aussi trouver QUI sont ceux qui les partagent et les accuser par la suite. C'était écrit dans le dossier que j'ai remis à Mira. Il faut accumuler le plus de preuves possible afin d'incriminer les coupables. Je m'en vais de ce pas régler le cas de ces cyberintimidateurs! (Je me sens en super forme, ce soir, et prête à affronter ces idiots!)

Je reviens avec plus d'infos…

~ 20 h 07 ~

Je suis sans mot… Mira m'a menti…

Tu te rappelles, elle disait qu'elle n'avait fait qu'enlever son chandail? (Ce qui, déjà, était plutôt idiot…) Eh bien, elle a fait VRAIMENT pire! Elle s'est carrément mise toute nue devant la caméra !!!

Pas pour rien qu'elle a si honte et qu'elle ne veut pas que ses parents apprennent ce qu'elle a fait! Il y a une bonne dizaine de photos où on voit clairement son visage ET le reste, disons…

Pauvre Mira, elle ne mérite pas ça. Même si elle a joué avec le feu. Je ne peux pas laisser les choses aller. Elle va m'en vouloir, mais…

Je vais commencer par aller voir Fred. Il est toujours de bon conseil, lui.

~ 20 h 46 ~

Fred croit que je n'ai pas le choix. Il faut qu'on parle à la direction de l'école. Parce que ce n'est total pas correct de la part d'Émile-le-débile. Il n'a pas le droit de montrer ces photos à tout le monde.

Je pourrais… je pourrais écrire un courriel au directeur et lui envoyer les photos. En lui expliquant la situation. Sans dire qui je suis. Mais pour ça, il faudrait que je m'ouvre une nouvelle adresse…

Oui, c'est ce que je vais faire. J'espère juste que ma cousine ne sera pas trop en colère.

À : Directionscolaire@mail.com
De : Inconnue@mail.com
Date : Mardi 24 février, 20 h 58
Objet : Des photos honteuses

Février

Bonjour,

Je vous écris de manière anonyme, car une amie à moi se fait cyberintimider au moment même où je vous écris. Elle s'est mise nue devant une caméra pour un imbécile et ce dernier fait maintenant circuler des photos de la vidéo sur Internet.

J'espère que vous agirez rapidement et de manière discrète, car mon amie a très honte de ce qu'elle a fait. Vous trouverez en fichier joint les photos dont il est question. Juste au cas où vous ne reconnaîtriez pas ma cousine, il s'agit de Mirabelle, qui est en secondaire trois à votre école.

Et l'imbécile en question s'appelle Émile et il est dans la même année. Voilà, vous savez tout.

Merci d'agir rapidement.

D'une inconnue qui veut du bien à Mirabelle...

Maintenant, j'espère que ce sera suffisant pour aider ma cousine...

Mercredi 25 février

~ 16 h 18 ~

Aucune nouvelle de la direction… Même pas une petite réponse. J'espère que mon message ne s'est pas perdu dans leur courrier indésirable !

~ 19 h 23 ~

Oh ! Il fallait absolument que je te dise QUI est l'ami de papa qui m'a prêté la fameuse machine à barbe à papa… C'EST LAURIE ! La conseillère en orientation scolaire !!!

De un : comment savait-il qu'elle en avait une ??? (Il faut qu'il soit allé chez elle, c'est immanquable…)

De deux : QUI possède ce genre de machine, si ce n'est une gourmande finie ??? (Quoique ce n'est pas moi qui vais la juger là-dessus…)

Et de trois : je pense sérieusement en demander une pour ma fête… (Qui n'est que l'an prochain, mais en attendant, je pourrais toujours ramasser mon argent pour m'en acheter une moi-même…)

Parce que la barbe à papa, je dois l'avouer, c'est devenu ma nouvelle passion dans la vie ! Pas

le choix, avant d'apporter la machine à la fête foraine, j'ai dû la tester… Et je n'ai qu'un seul mot à dire : OMG !!! Ce sucre fondant sur la langue, c'est le truc le plus fou que j'aie mangé de TOUTE ma vie ! Ça surpasse de loin toutes les sloches à la framboise bleue que j'ai pu boire. Et tous les chocolats chauds à la guimauve que j'ai sirotés…

Rien n'accote la barbe à papa. Rose, évidemment ! Miam, un pur délice ! D'ailleurs, pas le choix, je dois aller m'en préparer une nouvelle ration. Tu savais que c'était super simple à faire, en plus ? On a juste besoin du mélange de sucre et du colorant vendus avec la machine. (Et au pire, on peut prendre simplement du sucre, mais la barbe à papa sera blanche.) On fait chauffer la machine et on ajoute le mélange.

Puis, par une réaction chimique que je ne comprends pas bien, le sucre se cristallise et se sépare. Il se transforme en filaments que l'on doit recueillir avec un bout de carton. Pour ensuite le déguster… (La partie que je préfère du processus !)

Mais il faut faire attention parce que parfois, il y a du sucre qui revole et ça nous brûle les doigts. Sauf que ça en vaut la peine. Quelques minuscules brûlures ne m'ont jamais empêchée de fonctionner ! Au pire, je devrai porter des pansements sur

tous les doigts de ma main, mais ce ne sera pas suffisant pour m'arrêter !

Je te reviens après une seconde fournée de barbe à papa...

~ 19 h 54 ~

Il a fallu que j'en fasse pour tout le monde. Même papa en a mangé un peu. Ce qui fait qu'il ne m'en restait presque plus pour moi ! Demain, je vais devoir retourner acheter du mélange rose. Je vais aussi en prendre du bleu (pour ceux qui n'ont pas de goût !) et je testerai le tout une dernière fois avant la fête foraine !

J'ai hâte d'y être afin de voir toutes les activités que les autres membres du comité « Fêtes » ont organisées. J'ai plus ou moins (en fait, pas du tout) écouté ce qui se disait lors de la dernière réunion, mais, si je me souviens bien, il y aura une dame qui va nous prédire notre avenir, des jeux de cartes (style casino), des jongleurs et des tas d'autres trucs qui m'échappent...

La fête aura lieu dans trois jours ! Trooop hâte d'y être !!!

Jeudi 26 février

~ 16 h 46 ~

Je commence à me demander si la direction a vraiment reçu mon courriel concernant Mirabelle et la cyberintimidation dont elle est victime… En plus, elle n'est même pas venue à l'école, aujourd'hui. Je l'ai appelée à mon retour de l'école, mais sa mère m'a dit qu'elle n'allait pas très bien, ce matin, alors elle est restée couchée toute la journée.

Je ne sais pas quoi faire pour l'aider davantage…

À moins que je n'aille carrément rencontrer Émile-le-débile ? Je pourrais lui dire que je sais ce qu'il a fait avec ma cousine et que ce n'est pas correct. Mais il va sûrement me rire en pleine face. En plus, il va être avec Malik, mon ex, qui ne me parle plus et qui risque de se moquer de moi, lui aussi.

Il faut quand même que je trouve une solution !

Vendredi 27 février

~ 7 h 01 ~

C'EST AUJOURD'HUI LA FÊTE FORAINE!

Je ne peux pas te laisser à la maison, cher journal! C'est décidé: tu viens avec moi! Ainsi, je pourrai tout te raconter au fur et à mesure de la journée!!! Bon, je file me préparer, car, pour une fois, je n'ai absolument pas le goût d'être en retard ni de manquer mon autobus!

~ 8 h 38 ~

Au moins, Mira est là ce matin. Je vais essayer d'aller lui parler tout à l'heure.

~ 9 h 18 ~

Toujours aucune activité. Mais je pense qu'à la récréation, on va tous se rendre au gymnase. J'imagine que ça va commencer à ce moment-là… Je ne peux pas écrire plus longtemps, je suis en français et le prof, monsieur Ricard, va finir par se rendre compte que je t'ai caché entre les feuilles de mon cartable…

~ 10 h 11 ~

La récré est dans quatre minutes ! Je n'en peux plus d'attendre !

~ 10 h 12 ~

Oh non ! Le prof vient de me demander ce que je suis en train de faire !!!

~ 10 h 14 ~

Ouf, j'ai pu te cacher à temps et le prof n'a rien vu. La cloche va bientôt sonner…

~ 10 h 15 ~

RÉCRÉATION !!!!!!!!!!!

~ 12 h 59 ~

C'est génial ! La journée est total cool et avec toutes les activités organisées par MON comité « Fêtes », même le cours de physique a l'air intéressant. (Bon, pas vraiment, en fait, mais comme on a l'esprit ailleurs, c'est déjà ça…)

Je viens de sortir de la tente où la voyante était installée. C'est une vieille dame qu'ils ont engagée (aucune idée de l'endroit d'où elle sort…) et elle vient de lire dans les lignes de ma main. Je te résume ses prédictions :

Voyante (avec un accent in-cro-ya-ble): Bonyourrrr, yeune fille... Comment tou t'appelles ?

Moi (total en admiration devant ses longs ongles rouges): Euh... Dylane. Je m'appelle Dylane.

Voyante: Donne-moi ta main, chèrrrre Dylane...

Moi (en levant le bras, paume vers le haut): Désolée, euh... je ne me suis pas lavé les mains après le dîner et...

Voyante: Hum... yé vois... yé vois... oune trèèès bel avenir pour toua, ma chèèère. Mais... OH !

Moi (en panique): QUOI ?!? Qu'est-ce qui se passe ?

Voyante: Non, non, désolée... cé n'était qu'oune pétite saleté. Dou ketchup, yé crois... Alors, reprenons... Hum... OH ! Cette fois, yé vois bel et bien... OUI, c'est ça !

Moi (un peu moins stressée): Ça doit être de la mayonnaise, cette fois. Je devrais peut-être aller aux toilettes pour...

Voyante: NON! Tou vois cette ligne? Là, là! C'est la ligne dé l'amourrrrr! Dou GRAND amourrrr... Ta ligne est... Oune pétit peu tordue... C'est étrange...

Moi: Ah oui? C'est bizarre? Vraiment? Pourtant, j'ai un **chum** et...

Voyante: Ah... yé n'aurais pas dit ça... L'aimes-tou? Parce que yé vois que lé grand amourrr sé trouve tout près. Mais tou né lui as pas encore ouvert ton cœur, ma belle...

Moi: Ben... je ne comprends pas. À moins que...

Voyante (en refermant ma main brusquement): La séance est terminée, pétite. Au prochain!!!

Même si ça s'est fini abruptement, j'ai beaucoup apprécié la lecture de mon futur. Tellement, en fait, que je vais aller faire un tour à la table où il est question de numérologie. Je crois que ça fonctionne avec notre nom… Il faut compter je ne sais trop quelles lettres de notre prénom et le chiffre que l'on obtient nous donne des infos sur notre personnalité.

Je vais aller voir comment ça marche et je te reviens pour t'expliquer le tout.

~ 13 h 26 ~

OK, c'était super simple. J'ai fait le test avec Colin (qui est venu me rejoindre après avoir visité la voyante). D'ailleurs, celle-ci lui a dit à peu près la même chose qu'à moi. Je la soupçonne de radoter encore et encore. Pas très crédible, ça! Mais bon, elle était plutôt drôle avec sa fausse perruque rousse et ses milliers de colliers qui lui pendaient dans le cou.

Demain, je vais faire une recherche sur Internet pour savoir comment faire de la numérologie. Et promis, je collerai les infos entre tes pages, cher journal. Colin veut que j'aille à une autre table avec lui. Je te laisse.

Février

~ 13 h 57 ~

Je ne sais pas ce qui se passe, mais le directeur est venu chercher Mira. Elle vient de partir avec lui dans son bureau. Il avait l'air très très sérieux. Il l'a prise à part et lui a parlé à voix basse. Ce n'était pas très difficile, car Mira se tient en retrait de tout le monde depuis quelques jours.

D'après moi, le directeur a ENFIN reçu mon courriel… Je vais tenter de les suivre et d'en savoir davantage.

~ 14 h 06 ~

Bon, je ne suis pas du tout une bonne espionne et la secrétaire m'a renvoyée dans le gymnase. Il faut dire que, si Colin ne m'avait pas suivie, aussi, peut-être que je serais passée inaperçue. Après ça, il a voulu savoir pourquoi j'étais cachée dans le corridor, l'oreille collée contre la porte…

Je lui ai tout expliqué et il n'en revenait pas. Il ne va pas souvent sur Facebook, alors il n'avait pas reçu les fameuses photos de Mira. Mais chose certaine, il était très en colère contre Émile-le-débile. J'ai dû le retenir pour qu'il n'aille pas lui dire sa façon de penser.

Les activités de la journée ne sont pas terminées et je suis tellement nerveuse à propos de ma cousine que la seule chose qui parvient à me

calmer, c'est d'aller manger une énième barbe à papa. Colin m'attend en ligne pendant que je vais te ranger dans mon casier. C'est parce que j'ai peur de te tacher avec tout le sucre que je vais absorber en attendant des nouvelles de Mira...

~ 15 h 18 ~

La cloche annonçant la fin de la journée va sonner dans quelques minutes et moi... j'ai maaaal au cœur ! Ce n'est pas à cause de la barbe à papa, juré ! Mais disons que le popcorn au caramel que j'ai passé mon temps à piger dans le bol de Colin n'a pas aidé.

Je te laisse, faut que j'aille faire un tour aux toilettes...

~ 15 h 21 ~

Tout est sous contrôle. Mes maux de cœur se sont estompés. Pour le moment...

~ 15 h 22 ~

Ah non... ils sont revenus...

~ 15 h 24 ~

Mira vient de réapparaître dans le gymnase ! Il faut absolument que j'aille lui parler ! De retour sous peu avec des nouvelles fraîches.

~ 16 h 09 ~

Enfin chez moi. Ouf! La fête foraine était total *hot*! Je sens que je vais m'en souvenir long- temps. D'ailleurs, laisse-moi te raconter tout ce qui s'y est passé. Mais avant, je vais aller me débar- bouiller le visage un peu. En me voyant, Anto a dit que j'avais l'air d'une petite fille, avec du sucre collé sur mes joues et des grains de popcorn dans les cheveux...

~ 16 h 36 ~

Me nettoyer a demandé plus de temps que prévu... Mon frère avait raison : j'étais vraiment crottée! Maintenant que je suis propre, je peux te toucher sans salir tes pages.

Donc, revenons à ma cousine... Quand elle est sortie du bureau du directeur, elle est tout de suite venue me voir pour me dire que quelqu'un était allé bavasser et que toute l'école était désor- mais au courant pour ses photos. Je n'ai pas osé lui avouer que c'était moi, la coupable... Mon petit doigt me dit qu'elle n'aurait pas apprécié.

Pendant qu'on discutait, Colin est parti se resservir un bol de popcorn et nous étions seules toutes les deux. Je l'ai un peu questionnée et elle a fini par m'avouer qu'elle s'était mise complètement

nue devant Émile-le-débile. Attends, je vais repro-
duire notre conversation ici :

Moi : Je peux savoir pourquoi tu as fait un truc pareil ? Non mais, à quoi tu as pensé, sérieux ?!?

Mira : Je ne sais pas. Sur le coup, ça n'avait pas l'air si stupide. Ce n'est qu'après avoir mis fin à l'appel que j'ai réalisé ce que je venais de faire...

Moi : Voyons ! Comment tu as pu enlever ton linge sans te poser la moindre question ???

Mira : Ça s'est fait vite et Émile n'arrêtait pas de dire qu'il me trouvait belle et que ça resterait entre nous.

Moi : BEN OUI ! Entre lui et TOUTE l'école, tu veux dire !

Mira : JE SAIS !!! En tout cas, c'est la dernière fois qu'on m'y prend ! Tu sais que je vais rester coincée avec ces fameuses photos pour un bon

bout de temps ? Le directeur a dit que, même en mettant mon dossier entre les mains de la police, on ne pourrait pas les faire disparaître totalement. C'est trop poche... Je me sens... je me sens... sale, je pense.

Moi: Attends, je vais te nettoyer les joues, c'est à cause du sucre, ça colle vraiment beaucoup et...

Mira: Mais non ! Ce n'est pas de ça que je parle ! J'ai l'impression d'avoir été volée. Comme si on m'avait pris quelque chose... Tu ne peux pas comprendre. Tu es tellement inno-cente, toi. C'est à peine si tu as déjà eu un **chum**, alors...

Moi: Ce n'est pas vrai ! En plus, Florian et moi, on s'est embrassés des tonnes de fois, à Noël, et... Euh...

Mira: QUOI ?!? Viens-tu de dire que Florian et toi...? C'est quoi cette histoire ???

Voilà comment j'ai annoncé à ma cousine que je sortais avec Florian... Laisse-moi te dire qu'elle n'était pas de très bonne humeur. Colin est revenu au même moment et elle n'a pas pu laisser éclater sa colère. Une chance...

Après, je pensais m'en être tirée sans trop de dommages, mais le directeur est venu rejoindre les jeunes dans le gymnase pour annoncer la fin des festivités. Il est passé près de moi et il m'a remerciée du courriel anonyme... Juste en face de Mira !

DIRECTEUR : Ah, justement, Dorothée, te voilà...

Moi : C'est Dylane, monsieur.

DIRECTEUR : Oui, c'est ce que je disais. Je tiens à te remercier pour ton message concernant la cyber-intimidation dont était victime ta cousine. Grâce à toi, nous allons y mettre un terme. Bon, je vous laisse, j'ai encore du pain sur la planche. Encore merci, Daphnée !

Moi : Dylane... monsieur...

Évidemment, Mira m'a lancé un regard de reproche, alors j'ai haussé les épaules pour montrer que je ne comprenais pas du tout de quoi le directeur parlait. D'ailleurs, je me demande comment il a su que c'était moi qui lui avais écrit ? Je vais aller revérifier mon courriel. J'ai peut-être laissé des indices compromettants…

~ 17 h 02 ~

OH NON !!! J'ai écrit que c'était ma cousine dans mon message ! C'est clair que c'est à cause de ça que le directeur m'a démasquée ! Grrr… Je suis vraiment une espionne de bas étage. Et une délatrice encore pire !

Oh, mon cellulaire vient de vibrer. J'ai reçu un texto de Colin.

Moi aussi !!

Comment va Mira ? Elle avait l'air fru, tout à l'heure.

J'espère que le directeur va faire payer Émile...

Moi aussi !!!

OK, tu as le piton collé ou koi ?

Tu n'arrêtes pas de répondre la même chose !

Moi aussi !!!

Bin non, c'tune joke !

Sérieux, tu fais koi, ce soir ?

On pourrait se voir ?

Ah non...

Trop le goût de vomir.

On se reprend demain sans faute !

Cool !

Je suis contente que Colin ne m'en veuille plus. C'est vraiment le meilleur ami qu'une fille peut rêver d'avoir…

~ 18 h 29 ~

Parce que c'est ce qu'il est : un ami. C'est tout. Ni plus ni moins. J'espère qu'il va cesser de se faire des idées à notre propos.

~ 19 h 46 ~

Mais bon, ce n'est pas une raison pour qu'il se précipite dans les bras de Justine Lagacé, quand même ! Si elle pense que je ne l'ai pas vue tourner autour de Colin durant la fête foraine. Je me demande si la voyante lui a prédit qu'elle rencontrerait le grand amour, à elle aussi…

Parlant de ça, je dois absolument faire des recherches sur la numérologie. C'est trop génial, comme façon de se connaître. À plus, cher journal !

MARS

« Je crois que j'ai le TROISIÈME œil...

Mon chiffre chanceux est
le TROIS, d'ailleurs.

J'ai deux ou TROIS doutes
concernant Florian.

Une chance que
la barbe à papa rose existe
pour m'aider à garder le moral ! »

Dimanche 1er mars

~ 10 h 39 ~

Je viens de tomber sur cet article traitant de numérologie! Mon chiffre à moi est le trois. Je glisse le tout entre tes feuilles, cher journal. Mais avant, je vais aller vérifier ce que ça mentionne sur moi.

Je gagerais que je vais me faire dire que j'ai des problèmes d'argent! (Je n'ai plus un sou dans mon compte en banque et il serait temps que j'aille garder les jumeaux pour le regarnir...)

Quel est ton signe en numérologie ?

Comment calculer ton année personnelle en numérologie ? Facile. Il suffit d'additionner le chiffre de ton jour de naissance avec celui de ton mois de naissance.

Par exemple, si tu es née le 5 décembre, tu dois faire le calcul suivant : 5 + 12 (décembre est le douzième mois de l'année) = 17. Afin de parvenir à un nombre de 1 à 9, tu devras réduire le résultat obtenu en additionnant les deux chiffres qui le composent. Donc, avec 17, il faut faire 1 + 7 = 8. Voilà ! Ton chiffre est le 8 !

Maintenant que tu as fait le calcul, tu peux te référer aux chiffres suivants pour en savoir encore plus sur toi, grâce à la numérologie...

1 Ton chiffre est celui de la création et de l'ambition. Tu aimes mener, diriger et tu n'hésites jamais à donner ton opinion. Tant mieux, parce que tu as toutes les qualités requises pour être un vrai leader ! Lorsqu'on se met en équipe avec toi, on peut être certain d'arriver à bon port ! Quelle belle qualité que voilà !

Toutefois, tu dois faire attention à certains défauts, comme celui de l'égocentrisme ou de l'arrogance. Ne rabaisse jamais les autres afin d'atteindre les buts que tu t'es fixés. De plus, avec ta personnalité explosive, les autres n'ont qu'à bien se tenir si tu te crois victime d'une injustice!

Amour: Tu sais protéger ceux que tu aimes et ces derniers peuvent compter sur toi. Fais simplement attention que ton ambition ne prenne pas le dessus sur tes amours...

2 Symbole même de l'union et du couple, le chiffre deux a aussi deux facettes. Très sensible, tu sais d'instinct ce qui fait plaisir aux autres et tu es extrêmement diplomate dans tes relations.

Malheureusement, une remarque anodine peut aussi te blesser grandement. Ne prends pas tout ce que les autres te disent pour de l'argent comptant et détache-toi un peu de ces fausses impressions. Tu aimes la compagnie et tu vis très mal le célibat.

Amour: Même si tu es une parfaite amoureuse, prends le temps de te connaître avant de te mettre en couple. Tu mérites de vivre pleinement avant de te caser pour de bon!

3 Tu es une fille hyper sociable qui adore être au centre de l'attention. Et ça tombe bien, car tu as toujours des tas de trucs à raconter et tu n'es pas ennuyante pour deux sous! Tu as un talent certain pour les arts et plusieurs écrivains, artistes ou peintres sont des chiffres trois.

Tu es optimiste et tu n'as pas peur de relever des défis. Seul petit défaut: tu gères très mal l'argent et celui-ci te coule entre les doigts!

Amour: Parfois vulnérable et ultrasensible, tu peux te

laisser atteindre par le rejet. N'en fais pas une affaire personnelle, on ne peut pas plaire à tout le monde, et cela, malgré tout le charme que l'on possède!

4 Ordre, organisation, réalisation et concret, voilà quatre mots qui te définissent très bien. Tu es un chiffre de terre et c'est pourquoi tu gardes les pieds ancrés au sol, peu importe ce qui arrive autour de toi.

Tu abandonnes rarement, une fois que tu t'es lancé un défi, et tu sais prendre le recul nécessaire pour plonger sans te blesser. Les chiffres 4 sont souvent de très bons avocats.

Petit défaut : Tu peux parfois faire preuve d'un peu de rigidité. Travaille sur ce défaut, si tu ne veux pas que les autres en soient incommodés.

Amour : Tu rêves de mariage et d'une petite vie rangée. Et

effectivement, tu feras une excellente mère qui saura prendre soin de ses enfants.

5 Adepte de liberté, tu acceptes difficilement de te faire mettre en cage. Tu aimes les voyages, la nouveauté et les surprises. Dynamique et enjouée, tu es toujours prête à relever de nouveaux défis, au risque de t'épuiser…

Curieuse, tu te fais facilement des amis et tu es une source d'inspiration pour plusieurs d'entre eux. Mais tu manques parfois de discipline et d'ordre… Tes parents sont souvent sur ton dos pour que tu fasses le ménage de ta chambre, ce que tu détestes souverainement!

Amour : Malheureusement, avec ton désir de nouveauté, tu restes très peu longtemps en couple, car ce sont les papillons qui te font vibrer, et non la routine. Prends tout de même le temps de te poser un peu, avant de regarder ailleurs…

6 Symbole de la beauté et de l'harmonie, le chiffre six est généreux, aimant et équilibré. Tu es une fille de famille, mais tu gardes aussi une bonne place dans ta vie pour les amis et pour ton amoureux. Tu dois toutefois t'assurer de ne pas être trop exigeante et d'en demander trop aux autres. Ta recherche de la perfection peut être vaine. La vie est parfois tout aussi belle, malgré ses défauts.

Amour: Ne choisis pas ton amoureux seulement en fonction de son image. La beauté intérieure est aussi importante que celle qui est extérieure. Et tu mérites de trouver un garçon qui te respectera et qui t'aimera pour qui tu es réellement.

7 Tu es une vraie intello! Tu recherches la vérité et la connaissance, sans jamais perdre la flamme. Tu aimes mener des enquêtes et trouver des réponses. Un métier dans le domaine de la recherche t'irait à merveille!

Tes passions prennent beaucoup de place et, parfois, il peut t'arriver de mettre de côté les gens qui te sont chers. N'hésite pas à prendre du temps pour toi, car le travail, ce n'est pas tout dans la vie.

Amour: Jalouse de nature, tu es plutôt timide quand tu te retrouves dans un grand groupe. N'en veux pas à ton amoureux si, de son côté, il est plus à l'aise et discute avec d'autres filles. Il ne s'agit sûrement que d'amitié sans conséquence. Apprends à faire confiance à autrui…

8 Le 8 est le symbole de l'argent… La réussite te va comme un gant et tu performes dans presque toutes les sphères de ta vie. De grands succès t'attendent et tu as raison de foncer, car tu rencontres rarement des obstacles majeurs.

Il faut dire que tu as un talent pour les affaires et que tu comprends intuitivement le monde matériel. Tu es une visionnaire très téméraire et tes conseils sont toujours bien accueillis.

Amour: Tu n'es pas très démonstrative… ce que ton amoureux peut parfois te reprocher. Tu aimes aussi contrôler tout ce qui t'entoure, ce qui te vaudra sûrement quelques disputes. Laisse vivre les autres, ils t'aiment et ne partiront pas simplement parce que tu leur laisses un peu plus de liberté…

9 Tu es une personne extrêmement généreuse! Ta compassion et ton dévouement pour les autres peuvent parfois même être un peu envahissants. Tu es une idéaliste qui fait confiance aux autres et qui croit que chacun a quelque chose de bon au fond de lui. C'est une très belle qualité, à la condition que tu ne tombes pas dans la naïveté…

Tu as très peu de préjugés et tu aimes faire de nouvelles rencontres. Tes amis viennent de tous les horizons et les différences ne te font pas peur.

Amour: Très romantique, tu vis dans le monde des rêves et tu t'attends à ce que ton amoureux te comprenne sans faire l'effort de lui expliquer ce que tu désires. Parle-lui, il n'attend que ça pour te faire plaisir!

~ 10 h 57 ~

OMG! J'avais raison! Ça dit que j'ai des problèmes avec l'argent!!! Je dois avoir un don pour prédire les choses, c'est fou! Je suis peut-être une voyante et je ne le sais même pas…

~ 11 h 02 ~

Sébas croit que ça s'appelle avoir le troisième œil et que, si vraiment j'avais ce don, ça fait long-temps que j'aurais vu que papa allait sortir avec Laurie… PARCE QUE OUI! C'EST CONFIRMÉ! Papa sort avec la conseillère en orientation de mon école!

Je le sais parce qu'elle vient de se pointer à la maison pour récupérer sa machine à barbe à papa. (Pas question que je la lui redonne aujourd'hui, j'ai TROOOOP le goût de m'en refaire encore ce soir!) Je lui ai répondu que je devais la laver avant de la lui rendre. Elle a haussé les épaules (comme si elle s'en fichait pas mal) et pour qu'elle n'ait pas fait le déplacement pour rien, papa l'a invitée à se joindre à nous pour le repas.

Total louche…

OK, j'exagère un peu quand je dis que c'est confirmé, parce qu'au fond Laurie a simplement soupé chez nous. Mais il me semble que c'est

un signe qui ne ment pas. Quand on invite une femme à rencontrer notre famille, c'est que ça devient sérieux! C'est certain que Laurie, on la connaît déjà à cause de l'école, mais je me comprends, bon!

Sébas non plus ne veut pas qu'elle devienne notre belle-mère. Après tout, elle travaille à la poly. Ça ne se fait juste pas! Il faut garder une certaine distance avec notre milieu de vie, quoi! Mais papa ne semble pas s'en préoccuper…

~ 11 h 11 ~

N'empêche, je suis certaine que j'ai le troisième œil. Pour m'en assurer, je vais essayer de faire une prédiction… OK, alors… dans quelques minutes, je vais… recevoir… une grande nouvelle!

~ 11 h 13 ~

ÇA MARCHE!!! Ma mère vient d'appeler pour dire qu'elle m'invitait pour la semaine de relâche! Je m'en vais à New York!!! Avec Sébas, cette fois. Anto et Fred aussi étaient invités, mais ils ne pouvaient pas y aller. Le premier à cause de cette fille qu'il fréquente (QUELQUES JOURS SEULEMENT APRÈS SA RUPTURE AVEC MEGG!) et le deuxième parce qu'il ne peut pas

prendre de journées de congé dans son nouvel emploi.

Oui! Fred vient d'être engagé dans un café, pas très loin du cégep où il va. Et il travaille tous les week-ends et un soir par semaine. Papa ne voulait pas qu'il donne davantage de disponibilités, car la priorité, dans notre famille, ce sont les études (selon ses dires). J'aimerais bien le lui rappeler, quand je le vois faire des mamours avec la conseillère en orientation…

Bref, on part dans… DEUX JOURS! Vite, je dois préparer mes bagages!! J'aurais préféré y aller toute seule, mais Sébas était hyper emballé à l'idée de voir notre mère. C'est que je lui en veux toujours pour le vol de mon journal intime, tu sais. Et je n'ai pas encore trouvé comment me venger… Mais il ne paie rien pour attendre. Je vais finir par avoir un flash et alors là, il va s'en mordre les doigts!

Bon, je m'en vais faire mes bagages et chercher mon passeport. Je pense que je l'ai rangé dans mon tiroir de sous-vêtements.

~ 12 h 09 ~

Je sens la panique monter en moi… C'est que je ne trouve pas mon passeport! Je vais demander aux gars.

~ 12 h 11 ~

Évidemment, il fallait que je me fasse punir ! Papa dit que je passe mon temps à accuser les autres sans aucune preuve. (Comme la fois des portes d'armoire de cuisine.) Mais il faut absolument que ce soit l'un de mes frères qui soit venu dans ma chambre. Parce que mon passeport ne se trouve nulle part ! Et ce n'est PAS moi qui l'ai perdu ! IM-POS-SI-BLE !!!

Je suis une fille organisée, moi !

~ 12 h 12 ~

OK, pas SI organisée que ça. Mais je me rappelle tout le temps où je range mes trucs, malgré mon bordel apparent ! Papa n'y comprend rien à rien. Tant qu'à être en punition (et à ne pas pouvoir dîner avant vingt minutes), je vais en profiter pour continuer à chercher...

~ 12 h 33 ~

Je viens de le trouver... Mon passeport, je veux dire. Sous ma pile de bas, dans mon tiroir de sous-vêtements... Non mais, je peux savoir qui est allé le mettre complètement dans le fond du tiroir, aussi ?!? Sûrement un de mes frères ! Sébas en particulier. Il fouille tout le temps dans ma chambre, lui !

Maintenant que cela est réglé, je vais pouvoir continuer mes bagages.

~ 12 h 35 ~

Papa vient de me donner vingt minutes de punition supplémentaires parce que je continue à croire que mes frères sont coupables de la disparition-réapparition de mon passeport. Il dit que je suis de mauvaise foi et que je ne veux pas admettre que je suis dans le tort. Pfff… N'importe quoi! Regarde un peu ce qu'il vient de me sortir:

Papa: Dylane, avec toi, pas moyen de discuter. Tu ne veux même pas écouter les autres. C'est une très mauvaise habitude, tu sais. Tu ne te feras pas d'amis de cette façon…

Moi: Je n'ai pas besoin d'amis supplémentaires! Et c'est FAUX! J'écoute tout le monde, mais personne ne m'écoute, MOI! Mon passeport avait disparu et il a réapparu justement là où je le cherchais. C'est louche, tu ne crois pas?

Papa: Je pense surtout que tu avais mal regardé...

Moi: FAUX! J'avais super bien regardé! Pourquoi tu ne me crois pas?!

Papa: Ça ne sert à rien de parler avec toi. Retourne dans ta chambre pour un autre vingt minutes!

Moi: Hein?! Ce n'est pas juste! C'est clair que c'est un des gars qui...

Papa: Fred n'est même pas là, Anto est enfermé dans sa chambre avec... avec sa nouvelle copine et Sébas n'a pas bougé de la cuisine! Comment veux-tu qu'ils soient allés dans TA chambre pour y voler ton passeport??? Maintenant, ça suffit, je ne veux plus t'entendre!

Moi (en tournant les talons, mais en continuant de marmonner): En tout cas, c'est quand même vraiment suspect...

Alors je suis encore ici, à m'autodigérer, pendant que des choses changent de place dans ma chambre. Supposément parce que je n'ai pas bien cherché… Au moins, ça m'a permis de terminer ma valise. J'espère juste que je n'ai rien oublié.

J'ai encore un peu de temps si je veux faire un tour sur Facebook et annoncer à mes amis que je pars pour New York !

~ 14 h 18 ~

Mira était un peu jalouse de savoir que je partais toute la semaine sans elle. Elle aurait aimé m'accompagner pour faire du magasinage. Sauf qu'elle aurait été déçue, parce que je n'ai pas assez d'argent pour faire la tournée des boutiques. Peut-être que maman acceptera de m'en donner un peu ? Je lui expliquerai que je dois renouveler (encore) ma garde-robe, à cause de mes problèmes de poitrine…

Annabelle n'était pas sur Facebook (elle n'y va presque jamais, il faut dire), alors je vais lui téléphoner ce soir pour lui parler.

Colin, pour sa part, n'a pas *liké* mon statut. Je le soupçonne de ne pas être très content de savoir que je vais aller rejoindre Florian… Je sais qu'il a vu mon *post*, car il est en ligne et il ne PEUT PAS l'avoir raté. Je vais lui écrire un texto. Je ne veux pas qu'il soit en colère contre moi.

Col ?

Té là ?

Ouin, tu veux koi ?

Té ben bête !

Non, je suis occupé.

Occupé à niaiser sur Facebook ?

...

Je le sais que té fru parce que je vais à NY...

Pantoute !

Ben là, pkoi tu ne réponds pas, d'abord ?

Je suis occupé, je viens de te le dire !

Tu fais koi ?

Ah ! Té gossante !

Parfois, je me trouve un peu (mais juste un tout petit peu) idiote…

~ 14 h 32 ~

Désormais, je vais avoir l'image de Colin aux toilettes gravée dans ma tête.

~ 14 h 41 ~

Ce n'est pas un peu long ? En plus de savoir ce qu'il est en train de faire, je n'avais pas le goût de savoir que ça lui prenait autant de temps…

~ 14 h 56 ~

Ben là ! Il exagère ! C'est sûr qu'il a fini ! Je vais l'appeler pour en avoir le cœur net !

~ 14 h 57 ~

Sa mère vient de me dire qu'il est toujours enfermé dans la salle de bain… OUACHE !!!

Mardi 3 mars

~ 7 h 03 ~

On part dans trente minutes. Je ne t'ai pas écrit hier parce que j'ai vu Colin toute la journée. Je n'ai pas osé lui reparler de sa loooongue séance aux toilettes. Info que j'aimerais effacer de ma mémoire…

Par contre, Colin a voulu revenir sur sa déclaration d'amour. Il m'a dit qu'il le pensait toujours et qu'il aimerait vraiment que je prenne le temps de vérifier que Florian est un bon gars pour moi. Ce dont Colin doute réellement.

Je ne lui ai pas fait de promesses, mais je lui ai tout de même dit que j'y penserais. Sauf que ça m'étonnerait que je change d'avis en ce qui concerne mon *chum*. J'ai hâte de revoir Florian !

D'ailleurs, je te laisse, cher journal ! Il se peut que je t'écrive moins dans les prochains jours, car je serai bien occupée !!

~ 9 h 12 ~

OH NON ! Nous sommes devant la file d'embarquement, à l'aéroport, et je ne trouve pas mon passeport dans ma valise ! Je l'avais pourtant

rangé dans la pochette avant ! C'est certainement un de mes frères qui me l'a volé ! Je m'en vais dire deux mots à Sébas !!

~ 9 h 16 ~

Papa a levé le ton et m'a ordonné de me calmer ! Mais je fais quoi, sans mon passeport, moi ?!?

~ 9 h 18 ~

Fausse alerte… Mon passeport était bel et bien dans la pochette avant de ma valise. C'est juste qu'il avait glissé tout au fond. Je vais très certainement être en punition à mon retour de New York pour avoir encore une fois accusé mes frères pour rien… Papa me fait de gros yeux.

Je te laisse, cher journal, je ne peux plus écrire, car je dois laisser partir ma valise et je vais bien te ranger à l'intérieur pour ne pas te perdre. Je suis tellement stressée à l'idée de revoir Florian que j'ai peur que tu disparaisses quelque part si tu n'es pas à l'abri. C'est à cause de mes broches si je suis aussi nerveuse… Il ne m'a pas encore vue avec. Oui, je lui ai envoyé des photos, mais ce n'est pas pareil en personne.

Imagine qu'il ne veuille plus m'embrasser ? Ou que je n'arrive plus à l'embrasser sans que l'un

de nous deux se blesse?? *Cream puff!* Il faut que je me calme. J'ai hâte que ce moment soit derrière moi pour pouvoir te le raconter…

Mercredi 4 mars

~ 19 h 27 ~

Je vais être obligée de passer la soirée avec toi, cher journal… C'est que, ce soir, Florian avait déjà un truc organisé avec ses amis (truc auquel je n'ai pas été invitée…) et il ne pouvait pas le repousser. J'y serais bien allée, mais il a dit que je ne parlais pas assez bien anglais (ce qui est FAUX !) et que, de toute manière, c'était exclusivement des garçons qui seraient là-bas. Donc, je n'y aurais pas ma place et je m'ennuierais.

J'ai bien essayé de lui faire comprendre que je m'entends souvent mieux avec les gars qu'avec les filles, mais tout ce qu'il a trouvé à dire, c'est que ses amis étaient gênés et qu'ils n'aimeraient pas trop que je m'incruste.

Tsé, la fille qui se sent de trop ? C'est moi ! J'ai l'impression que mon *chum* préfère passer du temps avec ses amis qu'avec moi. Qui ne suis là que pour UNE semaine. (Cinq jours en fait, ce qui ne donne même pas une semaine complète !) Il faut que j'utilise mon don de voyante (découvert il y a quelques jours à peine et que je ne contrôle évidemment pas très bien) pour savoir si Florian me cache quelque chose.

Je vais commencer par faire sa numérologie pour mieux le cerner… Si je calcule sa date de fête (qui est le 16 juillet), cela lui donne le chiffre… cinq ! Bon, maintenant, allons voir ce que ça signifie…

~ 19 h 29 ~

OMG ! Le chiffre cinq est celui de ceux qui n'aiment pas se faire mettre en cage. Qui ne restent jamais en couple très longtemps et qui ont besoin de nouveauté !!! Si je résume : il va bientôt me laisser ! C'est clair comme de l'eau de roche !

Je capote !!!

Il faut que je parle à quelqu'un ! Je vais essayer de voir si je peux joindre Colin sur Skype…

~ 21 h 03 ~

Je viens de fermer Skype. Une chance que mon meilleur ami était là. Il m'a dit que ce n'était que des nombres et que je ne devais pas paniquer avec ça. Même s'il avait le goût de me répéter que Florian n'est pas fait pour moi, il n'en a pas profité pour me dire que ce dernier était vraiment un imbécile de ne pas passer sa soirée avec moi.

Non, en fait, il l'a mentionné, mais il a aussi ajouté que ça ne lui faisait pas plaisir de le dire… Pour me changer les idées, Colin a insisté pour que

je lui fasse sa numérologie à lui et on s'est rendu compte qu'il était un quatre. Ça lui va très bien, car Colin est très organisé et quand il a quelque chose dans la tête, il ne baisse pas les bras facilement.

Finalement, on a dû se laisser, car Florian est arrivé. Il a salué Colin de manière un peu bête et il m'a demandé si j'avais faim. Comme je lui ai dit oui, il est allé voir dans la cuisine ce qu'il pourrait nous préparer à manger. Ma mère, mon beau-père et Sébas ont passé la soirée dans le salon, à écouter un film qu'ils ont commandé en ligne. Peut-être qu'il reste un peu de popcorn…

Je vais aller voir.

~ 22 h 19 ~

Il n'y avait plus de popcorn, mais Florian a sorti une machine du placard pour nous préparer… Devine quoi? DE LA BARBE À PAPA!!! Quand j'ai vu ça, je n'ai pas pu me retenir et je lui ai sauté au cou! Mais il m'a gentiment repoussée. (Je pense qu'il est mal à l'aise parce que nos parents étaient dans la pièce d'à côté et que nous ne leur avons pas encore dit que nous sortons ensemble.)

De toute façon, Florian ne sentait pas très bon et ça m'a grandement déçue… Ce n'est pas qu'il puait, mais ses vêtements dégageaient une

odeur de fumée de cigarette. Je ne savais pas qu'il fumait et je lui ai aussitôt demandé :

Moi : Tu fumes ?

Florian : Hein ? **No! Why do you say that?**

Moi : Ben… je ne veux pas être plate, mais ça sent…

Florian : Oh… **It's not** moi. **It was**… euh… **a friend.** Un ami.

Moi : Ah, OK. Mais ça sent tellement fort qu'on dirait que c'est toi qui…

Florian : Je te dis que c'est pas moi. **So, forget it. Give me sugar, please,** pour la… Comment tu dis **cotton candy** en français ?

Moi : Barbe à papa…

Après ça, je n'ai rien ajouté, parce que je le trouvais déjà un peu trop impatient envers moi. Ce n'est pas ma faute s'il puait, quand même !

On a fait chauffer la machine en silence et on est allés rejoindre les autres dans le salon. Ou plutôt, j'y suis allée, pendant que Florian a pris sa douche. Quand il est sorti de la salle de bain, il sentait de nouveau très bon. Comme la barbe à papa était prête, on en a mangé un peu en silence.

Puis, il m'a fait signe de le suivre. Le tout, très subtilement, pour que les autres ne s'en rendent pas compte. Il a fermé la porte de sa chambre et on s'est assis sur le lit. Et ensuite, il s'est penché vers moi pour m'embrasser (notre premier baiser depuis mon arrivée chez lui!) et ça goûtait le sucre (miam) et le dentifrice. Comme s'il venait de se brosser les dents. J'étais soulagée de voir qu'il n'avait pas de problème avec mes broches. En plus, ce n'est pas tellement différent d'avant que j'en aie.

On a discuté de tout et de rien. Surtout de rien, je dirais. Il s'est excusé d'avoir passé la soirée loin de moi et m'a promis de se racheter. Pas demain, par contre, car il a un devoir d'équipe à faire avec quelqu'un de sa classe qui doit venir à l'appartement.

Je commence à avoir hâte que ma mère et mon beau-père déménagent. Ça devient de plus en plus petit, surtout avec Sébas et moi dans les

parages. Je vais en discuter avec maman. J'ai justement des tas de trucs à lui demander.

Mais pas ce soir, car tout le monde est cou-
ché et c'est à peine si je peux écrire dans mon journal sans déranger les autres… Je te laisse donc et
je m'en vais dormir, moi aussi.

Vendredi 6 mars

~ 18 h 36 ~

Je sors avec Florian ce soir! Je suis super emballée, parce qu'on s'est à peine vus depuis mon arrivée! Et en plus, j'ai l'accord de ma mère!

Pas eu le choix… Hier, elle m'a emmenée magasiner pour m'acheter de nouveaux chandails. Je n'ai pas eu besoin de lui expliquer quoi que ce soit, elle a bien vu que je commençais à être pas mal «pourvue» de ce côté-là. Tout comme Florian, d'ailleurs, qui n'arrête pas de me jeter des regards quand il pense que je suis occupée à faire autre chose. Mais ça, c'est un autre sujet. Surtout que ça me gêne vraiment beaucoup de sentir ses yeux se poser sur ma poitrine…

En tout cas, pour en revenir à maman, elle m'a montré comment choisir un bon soutien-gorge. C'était pas mal moins gênant qu'avec la vendeuse, la dernière fois. J'ai raconté cet épisode à ma mère, qui était triste de ne pas toujours pouvoir être là pour m'aider quand j'en ai besoin. Elle songe à se rapprocher du Québec. Son emploi lui permet facilement de se déplacer ailleurs dans le monde, mais ce n'est pas le cas d'Harold, mon beau-père. Alors elle ne fait qu'y penser, pour le moment.

Après ça, nous sommes allées dîner dans un resto un peu chic (j'étais gênée, parce que je portais des jeans troués), mais maman m'a dit qu'elle connaissait le proprio et de ne pas m'en faire avec ça. C'était trooop délicieux! Rien à voir avec le pâté chinois de papa! Mais le pire, c'est que je ne pourrais même pas te répéter le nom des plats que nous avons dégustés. Tout ce que je sais, c'est que j'aurais léché mon assiette si j'avais été à la maison et non dans un resto chic!

Comme je me sentais de bonne humeur et que ma mère n'était pas concentrée sur son travail (et donc, sur son cellulaire), j'ai décidé de plonger et de lui parler de Florian et moi. Elle a été plutôt surprise, car elle pensait que ce dernier était très bien célibataire. Elle n'a pas expliqué pourquoi elle croyait ça, mais elle m'a écoutée sans me juger. C'est la première fois que je lui parle d'un garçon et c'était moins intimidant que je ne l'imaginais.

Quand nous sommes revenues à l'appart, ma mère est allée s'enfermer dans sa chambre en compagnie d'Harold. Sûrement pour lui parler de Florian et moi... Pendant ce temps-là, j'en ai profité pour changer mon statut sur Facebook afin de passer de Célibataire à En couple! Il s'en est suivi une quantité infinie de personnes qui ont cliqué J'aime! (Pas Colin, par contre, mais je m'en doutais...)

Mais quand même, je me sentais mal, car mon *chum* n'était peut-être pas prêt à en parler à son père. Surtout que, lorsque Florian est revenu de l'école, il a dû avoir une discussion père et fils à ce sujet.

Ça n'aurait pas été si mal si son ami pour le travail d'équipe ne l'avait pas accompagné. Et si ce dernier n'avait pas été UNE FILLE! Super belle, en plus! Je n'ai pas pu m'empêcher d'être jalouse, je l'avoue…

Elle s'appelle Nancy (quel prénom horrible, d'abord!) et elle est plus petite que moi (de beaucoup). Elle a de longs cheveux blonds (ils lui arrivent aux fesses) qui sont hyper lisses. Pas une couette de travers. Sans compter qu'elle se maquille au max et qu'elle a une jolie bouche en cœur. Je la déteste. Même si je ne la connais pas. Je ne veux PAS la connaître, de toute manière.

Il paraît que Florian et elle font toujours leurs travaux ensemble. Il paraîtrait aussi qu'elle vient trèèès souvent étudier à l'appart avec lui. Et il paraîtrait même qu'elle était là, à sa soirée supposément juste de gars!!!

Mais Nancy, ce n'est pas pareil, m'a dit Florian. Elle fait partie de la gang. Ils la voient tous comme un gars, tellement elle est toujours là!

Ben oui, c'est ça ! Et moi, j'ai une poignée dans le dos, peut-être ???

Mais bon… je ne peux pas dire grand-chose. Mon meilleur ami aussi est un gars. Et il vient d'ailleurs de me faire une déclaration d'amour. Je ne suis pas pour faire une crise de jalousie à Florian sous prétexte qu'il passe son temps avec cette fille.

Sauf que… Je la déteste. Point. Et je lui souhaite de se faire défigurer en faisant une réaction allergique du tonnerre à cause de son maquillage…

~ 18 h 38 ~

Même si ce n'est pas gentil du tout…

~ 18 h 39 ~

N'empêche que c'est moi qui sors avec Florian, ce soir, et pas elle. Justement, il me reste encore à me peigner. (Je vais tenter de rendre mes cheveux aussi lisses que ceux de Nancy.) On verra bien qui Florian regarde, après ça…

~ 23 h 11 ~

Je viens de revenir à l'appartement après ma soirée avec Florian. Je te raconte tout demain. Là, je ne peux pas, car je devrais allumer une lumière pour écrire et ma mère ne veut pas. Bonne nuit, cher journal. Je vais essayer de faire de beaux rêves…

Samedi 7 mars

~ 9 h 21 ~

Plus moyen de dormir, ici! Tout le monde est debout et il y a un bruit d'enfer dans la cuisine! Je suis d'une humeur massacrante. C'est vrai que ça sent bon, par contre. Je vais aller voir ce que les autres sont en train de préparer...

~ 9 h 22 ~

DES CRÊPES!!! J'adooooore les crêpes! Finie la mauvaise humeur! Bon, je m'habille, je me bourre de crêpes et je te reviens pour te relater ma soirée d'hier.

Dimanche 8 mars

~ 7 h 09 ~

Je n'ai pas eu le temps de t'écrire, hier. Journée super chargée avec toute la famille. Et aujourd'hui, c'est le retour à la maison pour Sébas et moi. C'est promis, quand je serai dans ma chambre, je prendrai le temps de tout écrire dans tes pages, mon cher journal. Mais pour le moment, je dois m'assurer que mes bagages sont prêts et que mon passeport n'est pas perdu.

Je le cherche depuis tout à l'heure et je ne le trouve nulle part. Je soupçonne sérieusement Sébas d'être venu fouiller dans mes affaires! Celui-là, si je l'attrape!!

~ 7 h 11 ~

Bon, j'ai paniqué pour rien. Le passeport était toujours dans la pochette avant de ma valise. Je n'avais pas pris le temps de vérifier à cet endroit, car je pensais l'en avoir sorti à mon arrivée chez ma mère.

Sur ce, je te laisse. Je ne pense pas avoir le temps de te parler avant demain. Tu vas me manquer, cher journal. Je ne sais pas ce que je ferais sans toi, ces derniers temps. Je t'expliquerai tout chez moi…

Lundi 9 mars

~ 16 h 23 ~

Je dois aller m'entraîner. Ça ne me tente pas. C'est rare que je sois dans cet état d'esprit. Ça doit être à cause du décalage horaire. Évidemment, papa me dirait qu'il n'y a aucun décalage horaire entre New York et le Québec, mais il veut toujours avoir raison, celui-là. Ça ne sert à rien de tenter d'argumenter avec lui.

Peu importe pourquoi je suis fatiguée, je le suis, c'est tout. Peut-être que je devrais sauter mon entraînement et aller me coucher plus tôt, à la place? Je vais demander à mon père ce qu'il en pense…

~ 16 h 26 ~

Papa a eu vent de ma soirée de vendredi dernier avec Florian. Il dit que je n'avais qu'à ne pas rentrer aussi tard et que c'est ma faute si je suis fatiguée. Et donc, je dois aller à mon entraînement. Point à la ligne. *Cream puff!* C'est tellement agréable d'avoir un père aussi empathique…

~ 19 h 03 ~

J'ai fait mon entraînement. De mauvaise grâce. Mon coach a bien vu que je ne me donnais pas à 100 %. Il m'a dit que, la prochaine fois que je me sentirais comme ça, il serait préférable que je remette l'entraînement à une autre journée. Vlan dans les dents, papa d'amour ! Je me suis tout naturellement fait une joie de lui répéter les mots de mon coach.

Mon père ne l'a pas apprécié. Je suis dans ma chambre. En punition. *Anyway*, j'avais des tas de trucs à te raconter, alors ça tombe vraiment très bien. Ce qui me fait un peu plus suer, par contre, c'est que je ne peux pas sortir pour me préparer une barbe à papa.

Je pourrais toujours essayer de soudoyer Fred pour qu'il m'en fasse… Je l'entends qui passe dans le corridor. Attends deux minutes, je vais aller lui parler.

~ 19 h 05 ~

Fred était d'excellente humeur et il a accepté avec joie ! Super ! Donc, je peux revenir à mes moutons, c'est-à-dire à ma soirée de vendredi dernier avec Florian. Comment pourrais-je décrire cette sortie ? Les mots me manquent…

Déception? Non, pas assez fort. Désappointement? Pas non plus. Étonnement, désillusion, contrariété, consternation et j'en passe. Disons, pour être exacte, que ça ne fut pas du tout à la hauteur de mes attentes. Mais laisse-moi te la raconter en détail.

D'abord, je m'étais mise total belle. Pantalons moulants, chandail un tout petit peu décolleté (mais tu dois te douter de l'effet de ce genre de chandail sur moi…), cheveux lisses, maquillage (léger, quand même) et talons hauts. Oui! J'avais même opté pour les talons! Bref, j'étais super belle. Même Sébas a sifflé quand je suis entrée dans la cuisine. Florian, lui, n'a pas dit un mot, mais il a avalé son verre de jus de travers.

Ma mère m'a souhaité une belle soirée et après avoir fait quelques recommandations à Florian, elle nous a laissés partir, juste lui et moi. C'était une soirée surprise et je ne savais pas ce qu'il avait organisé. Disons que ça remplaçait un peu notre Saint-Valentin chacun de notre côté…

Pour débuter, Florian voulait que nous allions voir un film. Sauf que c'était un truc d'action (pas de problème avec ça) et que tous ses amis étaient déjà là. Ouais, tous ses amis… Même Nancy! Ils ne nous attendaient pas précisément, mais j'ai su par la suite que ceux-ci passent presque

tous leurs vendredis au cinéma en gang. C'était donc certain qu'on allait les croiser. Mais ça, Florian ne m'en avait pas glissé un mot !

Pendant le film, Florian était assis à ma droite et il tenait ma main. C'était cool, jusqu'à ce qu'il la lâche et commence à me caresser la cuisse. Ça, c'était gênant. Mais bon, je n'ai rien dit parce que tous ses amis étaient là. Sauf qu'il a pris ma non-réaction comme un encouragement, puisqu'il s'est ensuite collé contre moi et qu'il a commencé à m'embrasser dans le cou et sur la joue, puis sur la bouche. Ça me donnait des petits frissons et ça m'empêchait d'écouter l'histoire.

Ce n'est que lorsqu'il a essayé de me toucher les seins (en passant sa main sous mon chandail) que j'ai sursauté sur mon banc. Je l'ai repoussé à deux ou trois reprises, mais il ne semblait pas comprendre le message, parce qu'il revenait toujours à l'assaut. J'ai dû carrément lui dire à voix haute de cesser son petit jeu pour qu'il se replace correctement sur son siège. Mais il n'était pas content du tout…

Ça paraissait parce que, de un, il m'ignorait, et de deux, il se penchait sans arrêt vers Nancy (qui avait évidemment pris place à côté de lui) pour lui parler dans l'oreille. Je l'aurais étripé. Et Nancy avec lui !

Après le film, sans même me consulter, Florian a décidé d'aller dans une arcade avec ses amis. J'ai été obligée de suivre. Ça ne me tentait pas parce que Florian s'amusait avec Nancy et que je ne connaissais personne. En fin de compte, un certain Matthew (plutôt grassouillet mais vraiment sympathique) est venu se présenter et on s'est amusés à faire des courses de voitures.

Quand enfin Florian en a eu assez, il a appelé un taxi avec son cellulaire et on est repartis, lui et moi. On ne s'est rien dit dans la voiture et encore moins à l'appartement. Voilà, c'était ça, ma soirée du vendredi. Une chance que Matthew était là parce que, sinon, je pense que je serais rentrée toute seule, sans attendre Florian.

Après ce soir-là, c'est à peine si on a discuté, lui et moi. Mais la journée de mon départ, soit le dimanche matin, il est venu s'excuser pour son attitude. Il a ajouté qu'il n'avait jamais eu une blonde avant moi et qu'il ne savait pas toujours comment agir. Parce que je suis *so awesome*. Je l'impressionne, quoi. Je le mets mal à l'aise...

C'est n'importe quoi! Il n'était pas impressionné quand on a commencé à sortir ensemble, en décembre dernier. Pourquoi le serait-il maintenant? Je ne sais plus quoi penser de Florian. Ni de

notre relation. Et je n'ose pas en parler avec Colin, car je me doute de ce qu'il va me répondre. Mira non plus ne risque pas d'être de bon conseil. Il ne me reste qu'Anna… ou l'un de mes frères.

Je vais commencer avec Annabelle. On n'a pas eu le temps de se voir, aujourd'hui, car le prof de français nous a donné un IMMENSE devoir d'équipe à faire et il m'a jumelée à Ariane! Donc, ce midi, on a dîné ensemble, Ariane et moi, afin de faire le plan de notre travail. Et cette semaine, je vais devoir aller chez elle pour qu'on avance le plus possible. Ça ne me tente pas du tout…

Bon, j'appelle Anna et je reviens.

~ 19 h 07 ~

Elle n'était pas là. Ça cogne à ma porte, une minute.

~ 19 h 34 ~

Je viens d'avoir une discussion total surréaliste avec mon frère Sébastien. C'était lui à la porte. Il est entré après avoir cogné (sans attendre que je lui ouvre la porte!) et il est venu s'asseoir sur mon lit (sans y être invité!). Il se mordait les lèvres et semblait hésiter. Puis, il a fini par se lancer et me dire qu'il trouvait que Florian, ce n'était pas un

bon gars pour moi. Je lui ai demandé sur quoi il se basait pour dire un truc pareil, mais il a évité ma question en ajoutant que je méritais mieux.

J'ai ouvert grand les yeux, beaucoup trop étonnée pour répondre quoi que ce soit. Alors il a juste ajouté que, selon lui, je devrais sortir avec un gars que je connaissais mieux, parce que je ne sais pas grand-chose sur mon *chum* et que je pourrais être surprise. Mais pas dans le bon sens.

J'ai fini par me fâcher (non mais, de quoi il se mêle, lui ?!) et le jeter hors de ma chambre. Il est sorti sans s'obstiner, mais une fois dans le corridor, il a juste dit que je devrais peut-être aller faire un tour sur la page Facebook de Florian. Pour voir…

Voir quoi, je ne sais pas, mais ça me frustre tellement que mon frère me monte contre mon *chum* que je vais faire exactement le contraire ! Je ne vais pas commencer à l'espionner juste parce que Sébas est un paranoïaque !

En plus, je dois commencer mon travail d'équipe et le montrer à Ariane demain. Donc, j'ai bien d'autres chats à fouetter !

~ 20 h 07 ~

C'est sûr que je suis curieuse au sujet de Florian et de sa page Facebook, mais je dois résister. Je fais confiance à mon *chum*.

~ 21 h 16 ~

Même si c'est difficile…

~ 21 h 28 ~

Oh! J'ai oublié de te dire : Émile-le-débile est suspendu pour la semaine. En tout cas, c'est ce que croit Mirabelle. Elle n'était pas à l'école aujourd'hui et elle m'a textée pour me demander si j'avais vu son ex durant la journée. Comme je lui ai dit non, elle a tout de suite sauté aux conclusions.

J'ai hâte d'en savoir plus…

Chose certaine, il l'aurait certainement méritée, sa suspension !

Mardi 10 mars

~ 19 h 36 ~

J'ai trois choses super urgentes dont je dois ABSOLUMENT te parler !!

UN : Émile n'est pas du tout suspendu. Il se promenait tranquillement dans les couloirs de l'école, aujourd'hui. C'est seulement qu'il était parti en vacances, durant la semaine de relâche, et qu'il n'est revenu qu'hier soir. En plus, il était super bronzé, comme s'il avait passé son temps sur la plage. Je ne peux pas croire que ses parents le félicitent d'être aussi débile en l'emmenant dans le Sud avec eux ! *Cream puff !*

DEUX : Mirabelle aussi est arrivée à l'école avec un étrange bronzage, ce matin... Mais elle, je sais qu'elle n'est pas allée dans le Sud ! Non, en fait, elle a juste légèrement exagéré sur les salons de bronzage... Pour dire vrai, je la soupçonne d'y être allée quasiment tous les jours, si je me fie à la couleur de sa peau.

Quand je lui ai posé la question, elle s'est justifiée en disant que c'était la faute de l'employée qui avait mal programmé son temps de bronzage. Il paraît aussi qu'elle s'est endormie pendant la

séance et qu'en se réveillant (la fille l'avait oubliée), elle était rouge comme un homard et la peau lui brûlait!

Bref, elle a désormais des cloques sur presque la totalité de son corps. Ses parents n'étaient pas contents! C'est la raison pour laquelle elle n'est pas venue à l'école hier. Elle souffrait encore beaucoup trop. Ce matin, elle n'allait pas mieux, mais ses parents l'ont forcée à venir. Même si tout le monde risque de rire d'elle. Ils lui ont dit qu'elle n'avait qu'à y penser à deux fois avant d'aller dans ces endroits!

Le pire, là-dedans, c'est que ma cousine n'a pas retenu la leçon, car sa plus grande frustration vient surtout du fait qu'elle n'a plus le droit d'y aller. Et non parce qu'elle a des brûlures à je ne sais quel degré sur sa peau. Sérieusement, elle fait pitié, avec son visage qui pèle et les gales qu'elle a sur les bras et les jambes. (Elle me les a montrées, dans les toilettes.) Ça doit être horriblement douloureux...

Et ça donne une raison supplémentaire à Émile-le-débile de se moquer d'elle! Il l'a traitée de toast calcinée quand il nous a croisées ce matin. Je me suis retenue à deux mains pour ne pas lui sauter dessus! Il faut dire que la conseillère en orientation passait au même moment par

là et qu'elle m'a interpellée pour savoir si j'allais lui remettre sa machine à barbe à papa bientôt.

Avant que j'aie pu trouver une réponse intelligente, Émile était déjà loin. Et moi, je baragouinais un truc du genre :

Moi : Euh, hein ? La machine... hum... je ne sais pas... je vais voir si elle est propre... C'est que... ouin... ben... Seb, non, je veux dire Fred... À moins que ce soit Anto... En tout cas... C'est quoi, déjà, ta question ?

Laurie, la conseillère et peut-être blonde de mon père : Tu sais, Dylane, si tu veux la garder encore un peu, ça ne me dérange pas du tout. Ton père me disait justement que tu aimais t'en préparer...

Moi : QUOI ?!? Pfff... N'importe quoi ! Je ne mange même pas de sucre, depuis que j'ai mes broches !

Laurie, la conseillère et fouineuse en chef : Dans ce cas, pourquoi tu as une sucette dans la main ?

Moi : Une quoi ?!? Ce n'est même pas à moi !!! C'est à... Mira ? Bon, elle est passée où encore ? Faut toujours que je lui tienne ses affaires, à elle ! OK, je dois y aller ! Et si je ne la trouve nulle part, c'est clair que je vais JETER cette sucette à la poubelle ! Pas question que je me mette ça dans la bouche !

Je suis partie en courant, beaucoup trop honteuse. De toute manière, de quoi elle se mêle ? Si je veux manger du sucre, c'est mon problème, pas le sien ! Et si elle croit que je vais garder sa machine à faire de la barbe à papa encore longtemps, elle se trompe ! Je m'en vais de ce pas (dès que je t'aurai dit la troisième chose HYPER importante) la nettoyer et la mettre dans un sac pour la lui redonner demain, à la première heure !

Donc, TROIS : Je suis coincée dans le comité « Fêtes » jusqu'à la fin de l'année ! *Cream puff !* Moi qui croyais que je pourrais en sortir dès que la fête foraine serait terminée. Mais non, il va falloir que je continue d'aller aux réunions du mardi, après les cours. C'est d'ailleurs la raison pour laquelle je t'écris aussi tard.

Mira m'a forcée à l'accompagner. Je voulais leur dire que je débarquais du comité, mais Philippe, le technicien en loisirs, a dit que j'avais pris un engagement et que je devais m'y tenir. De plus, ils auraient apparemment besoin de moi pour organiser d'autres activités. Ma présence serait, et je le cite: «absolument nécessaire». N'importe quoi! Ils sont un tas de jeunes, dans ce comité. Je suis de trop et je n'amène rien de nouveau. En plus, je m'ennuie au max et je passe mon temps à texter Colin, en attendant que ça se termine.

En tout cas, je vais quand même devoir continuer d'y aller tous les mardis. La vie est trop injuste, parfois! Je voulais seulement aider ma cousine et voilà où ça me mène...

~ 20 h 01 ~

Je n'ai pas lavé la machine de Laurie. À la place, je me suis carrément préparé de la barbe à papa. Et là, je suis trooop fatiguée pour faire la vaisselle. Alors je vais devoir garder la machine encore une autre journée. Ça lui apprendra, à cette Laurie!

Mercredi 11 mars

~ 7 h 16 ~

Cream puff... Avec ma réunion d'hier soir, j'ai oublié d'appeler Ariane pour savoir où elle en était avec le travail. Je vais essayer d'aller la voir aujourd'hui pour lui en parler. Il nous reste deux semaines pour le terminer.

Deux semaines à devoir la fréquenter, ouais... Pas que je déteste Ariane. La preuve, on a déjà failli se tenir ensemble, quand j'ai commencé le secondaire. En fait, nous allions à la même école primaire, avant. Alors lorsque nous sommes arrivées à la poly, on a tout de suite décidé de manger ensemble, sur l'heure du dîner. Sauf qu'Ariane, qui était plutôt drôle quand on était plus jeunes, était un peu différente au début du secondaire.

Elle n'arrêtait pas de parler de maquillage et de vêtements à la mode. (Ce qui, très franchement, était à des milles de mes sujets de conversation préférés.) Sans compter qu'elle passait son temps à regarder les garçons pour savoir qui ferait un bon *chum*. Puisque je me tenais déjà avec Colin, elle voulait que je lui pose douze mille questions sur les gars. Pour voir ce qu'il pensait de son look ou s'il la trouvait séduisante.

Colin, lui, soupirait dès que je devais aborder le sujet. Alors j'ai laissé tomber. Et Ariane n'était pas contente. Mais le pire est survenu à l'hiver de notre secondaire un. Ça faisait quelques mois qu'on était toujours ensemble, Ariane et moi, mais elle avait déjà commencé à recruter quelques filles de plus pour former une mini-gang.

Un jour, dans le vestiaire des filles, avant le début du cours de gym, j'ai entendu des rires et des chuchotements dans mon dos. Je ne comprenais pas l'attitude des autres, jusqu'à ce qu'Ariane me tape sur l'épaule et me suggère d'aller faire un tour aux toilettes avec elle. On s'est enfermées dans la minuscule cabine et c'est là qu'elle m'a expliqué…

MES JAMBES ÉTAIENT HYPER POILUES!!! Mais je n'y avais jamais vraiment prêté attention. Et ce n'est pas mon père qui m'en aurait glissé un mot, évidemment! Ce qui m'a étonné le plus, c'est que, quelques mois avant, je n'avais pas le moindre poil alors que là, j'avais carrément l'air d'un singe! Sérieux, j'aurais mangé une banane et l'image aurait été parfaite!!!

Bref, la honte… J'étais devenue une femme poilue… Je ne savais pas trop quoi faire avec ma nouvelle pilosité. Ma mère ne vivait déjà plus avec nous et personne ne m'avait avertie que puberté

rimait avec fourrure! Alors, sérieux, j'ai commencé à paniquer!

Je croyais que je n'étais peut-être pas normale et que je devais avoir un truc qui clochait. Avec le recul, je vois bien que j'étais total ridicule, mais quand on a douze ans et qu'on ne sait pas pourquoi on se met à être couverte de poils, tous les scénarios sont permis!

Finalement, Ariane m'a dit que ce n'était rien. Qu'elle se rasait depuis qu'elle était en sixième année et que je devais seulement demander à mon père de m'acheter un rasoir. Comme elle avait un pantalon de sport de rechange, elle a accepté de me le prêter. (Pas question que je mette mes shorts et que j'expose mes jambes velues aux gars de la classe!)

Mais Ariane est toute petite et je la dépassais déjà d'une bonne tête. Bref, je n'entrais pas dans ses pantalons. Et comme je refusais d'aller dans le gym, le prof (qui n'était pas mon père, car celui-ci enseigne aux élèves de secondaire quatre et cinq et je n'étais qu'en secondaire un) est venu me voir pour savoir ce qui clochait. Mais je n'ai pas voulu lui dire la vérité et il s'est impatienté. Je n'avais pas le choix de tout lui avouer. De toute manière, mes poils étaient NOIRS et ils ne passaient pas inaperçus. C'est clair qu'il allait les voir!

Quand il a enfin compris, il m'a envoyée dans le bureau du directeur, après avoir écrit un mot sur un bout de papier. J'étais tellement nerveuse que j'ai pris le papier et que je l'ai froissé et défroissé pendant que je marchais dans le corridor. (Toujours en shorts, les poils à l'air !) À la fin, on ne voyait plus mon nom du tout sur la feuille.

Lorsque je l'ai tendue au directeur, il a hoché la tête en la lisant. Il a fait venir mon père à son tour (qui était dans le bureau des profs, entre deux périodes). Quand je suis partie avec lui, total humiliée par la situation, le directeur m'a saluée une dernière fois en m'appelant par un tout autre nom (genre : Dorothée) que le mien. D'après moi, c'est de là que vient son incapacité à se rappeler comment je m'appelle…

Pour en revenir à Ariane (c'est d'elle que je te parlais, au début de l'histoire, je sais, c'était un peu long), même si je la trouve parfois superficielle, je ne la déteste pas non plus. Mira aussi a de la difficulté avec elle. Il faut dire qu'Ariane raconte nos secrets à tout le monde et on peut zéro lui faire confiance. Mais ma cousine dit qu'elle organise des partys vraiment géniaux et que, juste pour ça, elle vaut la peine qu'on la fréquente.

Perso, je trouve que Mira et Ariane se ressemblent un peu. Elles ont les mêmes centres d'intérêt et la même façon de voir la vie. Mais comme elles ont toutes les deux un caractère fort, c'est normal qu'elles finissent par se taper sur les nerfs. Et par se disputer. C'est un combat de coqs, dirait mon père. Sauf que ce ne sont pas des coqs, mais des poules… Alors mon exemple ne marche pas du tout. Peu importe !

Tout ça pour dire que je préfère ma cousine à Ariane. (Mais est-ce que j'ai réellement le choix ? C'est quand même ma famille…)

Bon, j'entends crier. Je vais voir ce que c'est…

~ 7 h 49 ~

J'ai peut-être écrit un peu trop. J'ai raté mon autobus. Et je n'ai pas encore eu le temps de déjeuner. Papa grogne dans l'entrée. Il refuse d'aller me reconduire. Il dit que je dois me responsabiliser. Ça fait trop de fois depuis le début de l'année qu'il me dépanne. Il ne comprend rien. Je SUIS responsable. De trop de choses, justement ! Comment peut-on avoir autant de responsabilités sans en oublier quelques-unes ? C'est impossible !

Je vais devoir couper dans certaines, je n'aurai pas le choix...

~ 7 h 51 ~

Papa dit que je ne peux pas couper dans mes heures de cours. (Je m'en doutais un peu, mais une fille s'essaie…) Que je pourrais toujours arrêter de texter mes amis sans arrêt (il m'a menacée de me reprendre mon cell!!!) ou au pire, que j'arrête d'écrire dans mon journal!!! *Cream puff!* Ça ne tourne pas rond dans sa tête! Je le soupçonne de faire de la fièvre.

J'en parlerai à l'infirmière de l'école. Elle me dira ce qu'elle en pense. Ce n'est pas normal qu'il me sorte un truc du genre, voyons!

Bon, je sens que je joue avec ses nerfs, qu'il a déjà fragiles. Je pense que je vais y aller… De toute manière, puisque je devrai marcher, j'en ai pour un bout avant d'arriver à l'école. Aussi bien partir tout de suite.

~ 7 h 53 ~

OMG! Papa ne veut pas que j'apporte mon cellulaire avec moi aujourd'hui! Il dit que ça va me retarder! Que je dois le laisser à la maison! Je ca-po-te! Mon père va me rendre folle!!! Je pense sérieusement à le déshériter!

Évidemment, comme je n'ai pas grand-chose à lui léguer, ça ne lui fera ni chaud ni froid. Il faudrait que je trouve un moyen de lui faire comprendre qu'il exagère avec ses milliers de règles qui n'ont aucun sens! (D'un autre côté, j'avoue, il avait raison pour les salons de bronzage… mais ça, il est hors de question que je le lui dise!)

OK, OK, je dois te laisser, cher journal, ou mon père menace de te brûler. Je vais te cacher sous mon matelas, au cas où…

Non, trop de risques qu'il te trouve, si jamais il décide de laver mes draps. (Même si c'est MA job…) Je vais plutôt te mettre dans la boîte de carton remplie de serviettes hygiéniques (dans la salle de bain). AUCUNE possibilité qu'il aille fouiller dedans!

Je. Suis. Un. Génie. Merci.

✦ ✦ ✦

Samedi 14 mars

~ 11 h 52 ~

TU M'AS FAIT UNE DE CES PEURS !!!

La boîte dans laquelle je t'avais caché avait juste disparu. Comme ça. Pouf ! Tu n'étais plus là ! Si tu savais comme j'ai paniqué dans les derniers jours. C'est la faute à Anto. Bon, pas à Anto directement, parce que lui non plus n'a pas besoin de serviettes hygiéniques, que je sache…

C'est de sa nouvelle blonde que je veux parler, en fait ! Oui, la fameuse Émilie. Il sort officiellement avec elle. Pour combien de temps ? Mystère… Chose certaine, elle n'est pas gênée, celle-là ! Je t'explique.

Comme tu t'en souviens sûrement, j'avais demandé à mon père de me commander des serviettes lavables en décembre dernier. Ce qu'il a fait sans poser de questions (à dire vrai, il ne voulait SURTOUT pas en discuter avec moi) et je les ai reçues il y a quelques semaines. J'ai d'ailleurs commencé à les utiliser et c'est génial. Pas besoin de mettre ces trucs en plastique qui irritent la peau et qui me piquent. (Se gratter entre les jambes, c'est zéro flatteur, peu importe qui le fait…)

Bref, désormais, je ne prends plus les autres serviettes qui sont aux toilettes, mais je n'ai pas osé jeter la boîte. À la fois parce que c'est du gaspillage et aussi parce que, si toutes mes serviettes sont sales, je peux toujours me rabattre sur les autres. Pour une journée ou deux, le temps que je me décide à faire du lavage. Oh, et question lavage, ce n'est pas compliqué du tout à laver. Il suffit de les faire tremper un peu dans de l'eau savonneuse et ensuite, direction la laveuse.

Sébas a un peu chialé, la dernière fois qu'il m'a vue faire du lavage, car il trouve dégueu que je mélange mes serviettes ET ses bas dans la même brassée, mais il n'a qu'à s'en occuper s'il n'est pas content. Argument qu'il s'est empressé d'ignorer, évidemment !

Bon, où j'en étais ? Attends que je me relise… Ah oui ! Émilie la voleuse de serviettes ! La dernière fois qu'elle est venue chez nous (soit mercredi soir), je n'ai pas fait attention à elle. (Parce que mon frère ne nous l'a même pas présentée officiellement, c'est dire comme elle est importante pour lui… à moins que ce soit NOUS qui ne sommes pas importants pour lui ?!) Peu importe, tout cela pour dire que ses règles ont commencé. Mais elle n'avait pas apporté de protection. Donc,

mon IMBÉCILE de frère lui a dit de se servir dans les toilettes et de prendre la boîte au complet, tant qu'à y être, car moi, je n'en ai plus besoin.

MAIS DE QUOI JE ME MÊLE ???

Tu étais cachée tout au fond de la boîte et Émilie ne s'en est pas rendu compte tout de suite. Elle a mis la boîte dans son sac et ce n'est qu'une fois chez elle qu'elle t'a trouvé. Le lendemain. Comme elle revenait ici samedi, elle n'a pas pris la peine de nous avertir ! Elle est juste venue me voir, tout à l'heure, MON journal entre les mains !

Je t'ai quasiment arraché à elle. Je devais avoir les yeux qui me sortaient de la tête, car elle a avalé sa salive de travers, avant de m'expliquer la situation. Mais rien à faire. Je suis toujours en colère. On dirait que tu passes ton temps à te promener de mains en mains, ces derniers temps. Il va falloir que je songe à te munir d'un cadenas. Ainsi, même si tu disparais, personne ne pourra t'ouvrir.

Oui, c'est ce que je vais faire… Je vais demander à papa s'il en a un dans le garage. Je reviens.

~ 12 h 16 ~

Papa n'avait pas le temps de m'aider à chercher, car il préparait le dîner. Depuis quand il

«prépare» le dîner un samedi, lui? D'habitude, on mange des restants (d'ailleurs, ça fait troooop longtemps que je n'ai pas dévoré un bon pâté chinois... miam!) et on ne se casse pas la tête avec ça.

En tout cas, il m'a dit d'aller voir dans le garage moi-même, ce que j'ai fait sans attendre, et tout ce que j'ai trouvé, c'est un vieux cadenas à vélo (un peu, beaucoup trop gros) et un cadenas pour barrer la porte d'un cabanon, genre. Encore une fois, bien trop pesant pour tes petites pages, mon cher journal. Je vais demander à mes frères. Ils sont tous là aujourd'hui et puisqu'on va visiblement dîner en famille, aussi bien en profiter.

~ 13 h 39 ~

Je sais pourquoi papa voulait absolument préparer un repas digne de ce nom (d'ailleurs il a réussi haut la main, car ses cannellonis étaient dé-li-cieux!): Laurie est venue dîner avec nous. Papa l'avait invitée SANS nous le dire! Bravo! Je n'ai même pas eu le temps de laver sa machine à barbe à papa parce qu'il me l'a appris à la dernière minute.

Elle a souri quand je me suis excusée et elle a dit que ce n'était pas grave du tout. De ne pas

m'en faire avec ça. Que ça lui donnerait une raison de plus pour revenir nous voir. Euh… NON! La vie est vraiment difficile, parfois, et on doit faire des choix horribles. Présentement, je dois choisir entre accepter que mon père sorte avec cette conseillère en orientation ultra poche et manger de la barbe à papa…

Je ne sais pas ce que je vais faire. Je suis déchirée…

Chose certaine, il me faut absolument m'en préparer une dernière fois, avant de devoir la lui remettre. Ça me fera un très bon dessert, après ce succulent repas.

Ensuite, je devrai contacter Ariane pour notre travail d'équipe. J'espère qu'elle a commencé ce qu'elle devait faire, car je n'ai pas le goût d'être en retard par sa faute.

~ 16 h 52 ~

Oh, j'ai oublié de te dire que la blonde à Anto (Émilie) est super cool, finalement. Elle est drôle et elle m'inclut dans ses blagues. Je n'ai pas l'impression qu'elle me prend pour un bébé. Je pense que je vais lui pardonner l'épisode du vol de mes serviettes hygiéniques.

~ 16 h 53 ~

Ariane n'était pas vraiment en état de me parler, puisqu'elle est malade aujourd'hui. Elle a la gastro. Je ne voulais pas qu'elle me donne trop de détails, donc je lui ai juste dit de m'envoyer la partie qu'elle a faite jusqu'à maintenant, que j'allais retravailler directement dessus.

J'attends toujours de recevoir le document. Je vais aller souper. Sûrement que le document sera dans ma boîte de courriels tout à l'heure.

~ 20 h 47 ~

Toujours rien. J'imagine qu'elle a dû retourner se coucher… Je n'ose pas la déranger. Ça peut aller à demain. Elle devrait être mieux à ce moment.

Dimanche 15 mars

~ 10 h 22 ~

C'est une blague ou quoi ?! Aucun message en provenance d'Ariane. Je vais la texter pour voir quelle est son excuse, cette fois !

Ariane, komen tu vas ce matin ?

Encore malade.

Cream puff!

Mais là, on fait koi ?

Envoie-moi le travail, stp.

Je vais le faire toute seule.

Non, t'en as déjà fait bokou.

Je m'en occupe.

Tu ne peux pas t'en occuper, té malade.

Arrête de niaiser et envoie-le-moi !

Laisse-moi tranquille !

J'ai dit que j'allais le faire.

Tu ne me fais pas confiance ou koi ?

Pas rapport !

Je ne veux juste pas être en retard.

Tu as dit que tu étais malade.

Tu ne peux pas travailler dans cet état !

Bon, té gossante !

Pour vrai, je ne suis pas malade.

Je veux juste avoir la paix et travailler à mon rythme !

Je vais le faire, ce maudit devoir !

Calme-toi !

Pis arrête de mentir.

Cé pas nécessaire.

Je veux voir ta partie quand t'auras fini, OK?

Ouais, ouais...

Quelle menteuse, cette Ariane! Elle m'a raconté n'importe quoi juste pour que je la laisse tranquille! Je DÉTESTE les travaux d'équipe! Dans le sens de ÉNORMÉMENT!!! Il faut toujours qu'on soit avec des élèves super nuls qui ne prennent pas ça au sérieux et, en bout de ligne, on se retrouve à faire tout le travail de son côté. Sinon, le prof nous donne une mauvaise note et ça fait baisser notre moyenne!

Cream puff! J'espère que c'est la dernière fois que je devrai travailler avec Ariane, en tout cas!

Lundi 16 mars

~ 16 h 18 ~

Je n'ai toujours pas reçu la partie du travail d'Ariane. Je commence à m'impatienter. Surtout que je dois partir pour mon entraînement de tennis. À mon retour, elle est mieux de me l'avoir envoyé…

Mardi 17 mars

~ 20 h 03 ~

Alors là, elle rit carrément de moi! Pas plus tard qu'aujourd'hui (avant que je me rende à cette satanée réunion du comité «Fêtes»), Ariane m'a juré (devant témoins) qu'elle me le faisait parvenir CE SOIR!

Et qu'est-ce que je trouve dans ma boîte de courriels? RIEN DU TOUT!!!

Mercredi 18 mars

~ 16 h 34 ~

Il paraît qu'elle l'a envoyé à la mauvaise adresse. Et comble de malheur pour elle (et MOI!), l'ordinateur de ses parents (sur lequel elle a fait le travail) a planté. Donc, elle doit attendre que son père le répare. Je souhaite sincèrement (pour sa santé) que cela se fasse rapidement…

~ 21 h 16 ~

Pas encore réparé. Je suis à deux doigts de me mettre à hurler. La seule chose qui peut encore me calmer, c'est de manger une bonne dose de sucre. Une chance que la barbe à papa existe…

Jeudi 19 mars

~ 7 h 10 ~

Dernière journée d'école de la semaine. Demain, c'est pédago. Ariane est mieux d'avoir une bonne explication, car ça ne me tente pas de tout refaire ce week-end!!!

~ 16 h 27 ~

Ariane était introuvable. Pourtant, je sais qu'elle était là, car les filles de la gang me l'ont confirmé. Elle se cachait de moi, c'est clair! Et impossible de la joindre sur son cellulaire, car celui-ci semble fermé.

Je vais l'étriper…

Il faut remettre le travail lundi. Nous avons trois jours pour le terminer. Et je ne sais même pas où ma coéquipière a disparu. C'est ridicule.

Je vais vraiment l'étriper!

Colin dit qu'il faut que je me change les idées (il paraît que je ne parle que de ça, depuis une semaine) et que je devrais aller passer la soirée chez lui. Je pense que c'est exactement ce que je vais faire. Pas besoin d'amener mon cell, qui doit être rechargé, de toute façon.

Et avant, je vais aller prendre des antihistaminiques, pour ne pas me taper la crise d'allergie du siècle, à cause de son chien.

~ 21 h 03 ~

Oh que je vais l'étriper ! Ariane m'a envoyé un courriel pendant que j'étais chez Colin. Il paraît qu'elle a essayé de me joindre sur mon cellulaire toute la soirée (pfff… tant pis pour elle !), mais que je ne répondais jamais. Lis ça, tu vas voir qu'elle a du culot…

À : Dydy2000@mail.com
De : Ariaqueen@mail.com
Date : Jeudi 19 mars, 20 h 26
Objet : Tu n'es jamais là !
Pièce jointe : notretravail.doc

Tu sais, tu peux le dire, si tu ne veux pas faire ce fichu travail d'équipe ! La prochaine fois, je vais demander au prof qu'on ne soit pas ensemble, c'est certain ! En tout cas, voici le texte que je devais faire. Je te laisse corriger mes fautes, tu es meilleure que moi là-dedans.

Si jamais tu as des questions en fin de semaine, je ne pourrai pas te répondre, car je pars pour les trois jours à la campagne avec mes parents. On se verra à mon retour, lundi matin.

J'espère que tu auras fait la conclusion à ce moment, sinon notre travail sera en retard par ta faute !

Ariane

Cream puff ! Elle n'est vraiment pas gênée, elle ! Au moins, j'ai enfin sa partie entre les mains. Il me reste à vérifier le tout et à ajouter une conclusion. Ensuite, je pourrai passer à autre chose.

~ 21 h 19 ~

Son texte est bourré de fautes ! Et c'est à peine si on comprend ce qu'elle a écrit. C'est total illisible ! Je vais devoir travailler en double pour rendre ce document présentable !

Cream puff ! Comme si j'avais besoin de ça ! Moi qui espérais avoir du temps pour aller sur Skype et jaser avec Florian… (De qui je n'ai pas eu de nouvelles depuis mon retour chez moi, il y a plus d'une semaine.)

Bon, je verrai ça demain. Pour le moment, je suis trop fatiguée pour me pencher là-dessus.

Vendredi 20 mars

~ 9 h 26 ~

Ce qui est bien, quand on a un père enseignant, c'est que, durant les journées pédagogiques, LUI doit aller travailler ! Alors que moi, je peux rester tranquillement à la maison. Et je peux même lui crier après s'il se lève en retard. (Ce qu'il n'a visiblement pas apprécié, par contre…)

Mais moi, je me dis que ce qui est bon pour l'un l'est aussi pour l'autre ! Et mon père, LUI, il ne se gêne pas pour me hurler après quand je rate mon autobus, alors pourquoi je ne pourrais pas le faire, moi aussi ?

Papa n'aime pas quand j'argumente, alors il s'est remis à crier après moi et j'ai préféré aller me cacher dans ma chambre en attendant qu'il parte. Je me rends compte, cher journal, que je dois te donner l'impression que mon père me crie toujours dessus… Ce n'est pas tout à fait la réalité, tu sais. Quand je dis qu'il crie, je veux surtout dire qu'il lève le ton, disons. Mais c'est presque pareil…

Aujourd'hui, grosse journée de devoirs et d'étude. Je me penche sur le texte d'Ariane en premier. Et juste avant, je vais prendre un solide déjeuner. Je sens que je vais en avoir besoin…

~ 14 h 11 ~

Je n'aurais pas dû aller sur Facebook, après avoir terminé mon travail d'équipe… J'ai mal au cœur. Je ne me sens pas bien du tout. Une minute, je dois aller aux toilettes.

~ 14 h 14 ~

Fausse alerte, je n'ai pas vomi. Mais je me sens toujours aussi mal. Peut-être que j'ai attrapé la gastro (imaginaire) d'Ariane… Sinon, c'est sûrement ce que je viens de découvrir qui m'a donné le tournis.

Je suis allée faire un tour sur la page de Colin. Je ne sais pas pourquoi. Comme ça, sans raison. Juste pour passer le temps. Et comme j'ai vu son chien, hier, je voulais aussi regarder les photos de celui-ci que Colin a mises en ligne. Il est trop mignon, Glaçon, et comme je ne peux pas le prendre dans mes bras ni le regarder de très près, je me rachète en examinant ses photos.

Sauf que c'est là que j'ai vu qu'il avait été tagué sur une photo. Colin, je veux dire, pas son chien ! Et sur la photo en question, il était collé sur JUSTINE LAGACÉ ! Décidément, elle commence à m'agacer, celle-là ! En fait, ils ont l'air si proches que c'est à peine s'ils ne se fondent pas l'un dans

l'autre. Je me demande quand cette photo a été prise… Il faut que je le découvre.

Ça doit dater de la fête foraine, parce que je reconnais la décoration de la salle. Pourtant, Colin a passé quasiment toute la journée avec moi! C'est trop bizarre. Je vais l'appeler pour en avoir le cœur net.

~ 14 h 16 ~

Ah non… je ne peux pas faire ça. Sinon, il va penser que je suis encore intéressée par lui. Il va trouver ça louche. *Cream puff*…

La seule chose qu'il me reste à faire, c'est espionner la page de Justine Lagacé. Oui, je vais de ce pas voir ce qu'elle a mis comme photo sur son profil.

~ 14 h 37 ~

Rien de bien intéressant de ce côté. Et comme on n'est même pas amies, je n'ai pas accès à toutes ses infos. Je devrais peut-être lui envoyer une invitation? Ah non, il y a toujours bien des limites! Jamais je ne serai amie avec Justine Lagacé, tout de même!

~ 15 h 01 ~

Colin vient de m'appeler pour faire quelque chose. J'ai refusé. Et je l'avoue, j'ai été un peu bête avec lui.

~ 15 h 16 ~

En plus, je ne sais pas pourquoi j'ai dit non, au fond. J'ai fini mes devoirs, Florian n'est pas là (il n'est JAMAIS là, c'est simple…), je m'ennuie à l'os et je n'ai rien à faire. J'aurais dû lui dire oui. Mais j'ai trop d'orgueil pour le rappeler. Tant pis, je vais aller écouter la télé avec Fred.

Dimanche 22 mars

~ 19 h 23 ~

Puisque demain je m'entraîne, je vais en profiter ce soir pour me raser les jambes. L'hiver, j'ai tendance à ne pas le faire très souvent... Et puisque je mets souvent des pantalons dans mes cours de gym (j'apprends de mes erreurs...), je peux passer une semaine ou deux avant de me raser. Mais cette fois, je crois que ça fait au moins trois semaines! En fait, la dernière fois, c'était juste avant mon départ pour New York (au cas où Florian aurait vu mes jambes...).

Bon, j'y vais.

~ 20 h 01 ~

Aaaah... Je viens de passer une bonne demi-heure dans le bain. Ça fait du bien de relaxer, après un gros week-end comme celui que j'ai connu. J'étais ultra stressée avec l'histoire de Colin (et Justine Lagacé) et lorsqu'Annabelle m'a appelée, je l'ai invitée à venir chez moi. Elle a aussitôt dit oui et est venue me rejoindre.

Comme il n'y avait rien d'intéressant à la télé, que le temps était un peu maussade et que

je n'étais pas d'humeur très agréable, elle a proposé de me montrer une recette de *mug cake* cru. (Des desserts crus, ce sont des desserts faits à partir d'ingrédients non transformés.)

Les *mug cakes*, c'est super à la mode, ces derniers temps. Et facile à faire, en plus ! Surtout que ça nous permet de ne presque rien salir comme vaisselle, car tout se fait dans une tasse. En fait, on mélange les ingrédients dans une tasse, puis on met celle-ci directement au micro-ondes et le tour est joué ! C'est génial !

Sauf que les gâteaux crus, c'est juste dégueu… Je ne me suis pas gênée pour le dire à Anna, qui est partie à rire. Elle, elle est habituée à manger des noix, des céréales ultra fibres et du thé vert, mais pas moi ! C'est pourquoi, après avoir testé sa fameuse recette, j'ai fait mes propres recherches sur Internet pour mettre la main sur un « gâteau dans une tasse » ultra chocolaté. Et j'ai trouvé le délice des délices…

C'est trop simple à faire, en plus. Attends, je vais noter la recette dans tes pages, tu vas voir.

GÂTEAU DANS UNE TASSE

au choco-banane
EXTRÊME

INGRÉDIENTS :

- 3 c. à soupe de farine blanche
- 2 c. à soupe de cassonade
- 2 c. à thé de cacao
- ¼ c. à thé de poudre à pâte
- 3 c. à soupe de lait
- ¼ de banane écrasée
- un soupçon de vanille
- une poignée de pépites de chocolat noir

PRÉPARATION :

Mettre tous les ingrédients dans une tasse allant au micro-ondes.

Brasser doucement jusqu'à ce que le mélange soit homogène.

Cuire au micro-ondes durant 45 secondes.

Laisser reposer une minute avant de se régaler !

À refaire à volonté !

245

Miam… Juste à y penser, mes papilles sont en pâmoison ! Je pourrais m'en refaire ce soir. Mais je ne sais pas s'il me reste des pépites de chocolat. Je crois que j'ai quasiment fini le paquet. (Il faut dire que je n'ai pas tellement respecté les proportions et que j'ai légèrement exagéré sur la quantité de chocolat …)

Je vais demander à papa d'en racheter. En tout cas, pour en revenir au sujet principal, laisse-moi te raconter ce qui s'est passé après qu'on a fait nos gâteaux dans nos tasses. Anna est une fille super souriante et enjouée, et ça n'a pas été long qu'elle s'est amusée à me mettre du chocolat sur le bout du nez avec sa cuillère. Je lui ai fait la même chose et on a couru l'une après l'autre dans la maison pour s'en mettre un peu partout. À la fin, je pense qu'on en avait davantage dans les cheveux et sur le visage que dans notre estomac.

On riait tellement qu'on n'a pas entendu que quelqu'un sonnait à la porte. Ni qu'il entrait dans la maison sans attendre qu'on lui ouvre… C'est Annabelle qui l'a vu en premier. Elle m'a fait de gros yeux et elle s'est sauvée en direction de ma chambre. Moi, je me suis lentement retournée pour tomber face à face avec Colin. Qui venait voir pourquoi j'avais été si bête avec lui. Sauf qu'avec

mon visage tout barbouillé, je n'étais pas à mon avantage, disons, pour le lui expliquer…

Il s'est approché lentement de moi et il a levé la main vers ma joue. Puis, il a enlevé un peu de crémage, avant de le porter à sa bouche. Pour aussitôt le recracher en grimaçant. Je te retranscris l'essentiel de notre conversation :

COLiN : Ouache ! C'est quoi ce truc que tu t'es étendu partout, au juste ?

Moi : Oh, c'est du gâteau cru.

COLiN : Du gâteau cru ? Tu me niaises ?

Moi : Mais non, c'est une recette d'Annabelle. Le gâteau n'est pas cuit. Mais je te l'accorde, c'est carrément dégueu.

ANNa (qui a crié, au loin) : Hé ! Je t'ai entendue ! C'est super bon ! Mais il faut être ouvert d'esprit, c'est tout !

Moi (en chuchotant) : Non, sérieux. C'est carrément le truc le plus

dégueu que j'ai mangé de toute ma vie. Mon **mug cake** était bien meilleur. Mais il faudrait que tu lèches le visage d'Anna pour le savoir...

Colin (en ouvrant grands les yeux): Euh... hein? Lécher le... Non mais qu'est-ce qui se passe ici? À quoi vous jouez, toutes les deux?

Moi: On s'amuse, voilà! Bon, tu voulais quoi?

Colin: Ben... savoir pourquoi tu étais bête, au téléphone. T'avais une drôle de voix.

Moi: Oh, laisse tomber. C'est compliqué. Je m'excuse si tu as cru que... Mais là, je passe la journée avec Annabelle, donc...

Colin: Je comprends, je vais vous laisser tranquilles. Comme ça, vous pourrez continuer à vous lancer des morceaux de gâteau un peu partout...

Normalement, je lui aurais répondu un truc intelligent, mais vu la situation, c'était plutôt difficile. Sérieux, c'était la honte totale! Se faire surprendre par un gars en pleine bataille de bouffe avec une amie!!

Attends… j'entends mon père crier dans le corridor. Pourtant, on n'est pas le matin? Et je ne suis pas à deux doigts de rater mon autobus. Je vais aller voir ce qu'il me veut.

~ 20 h 28 ~

TOUT est toujours de ma faute, dans cette maison!!! Cette fois, papa m'accuse d'avoir laissé les parois du bain couvertes de petits poils. Comme si j'avais fait exprès! En plus, je suis certaine que ce n'est pas si pire que ça. Il n'a qu'à faire couler un peu d'eau dessus et c'est réglé.

Je vais aller voir quel est son réel problème…

~ 20 h 55 ~

OK, bon… il avait peut-être un peu raison. MAIS JUSTE UN PEU, HEIN! Oui, la baignoire était remplie de poils. Et ça m'a pris un moment pour être capable de les déloger de là. On aurait dit qu'ils étaient collés avec de la glu! Finalement, j'ai dû utiliser une brosse et frotter durement

la paroi pendant au moins vingt minutes avant
que ça donne quelque chose.

C'est la dernière fois que je me rase dans le
bain. La prochaine fois, je ferai ça dans la douche,
comme d'habitude.

En tout cas, je dois te laisser. Il faut que j'aille
relire une dernière fois notre travail, à Ariane et
moi, avant de le lui envoyer pour qu'elle vérifie le
tout de son côté. Ensuite, ce sera à elle de l'imprimer. C'est le seul truc que je lui demande de faire.
Puisqu'on doit le remettre demain, j'espère que
tout est OK. J'ai travaillé dur là-dessus, moi !

Lundi 23 mars

~ 16 h 09 ~

ELLE A OUBLIÉ D'IMPRIMER LE DOCU-MENT !!! Attends, je répète, juste au cas où ce ne serait pas clair : ELLE A OUBLIÉ D'IMPRIMER NOTRE TRAVAIL !!!!!!!

Ricard (le prof) nous a fait couler ! Simplement. C'est trop injuste ! J'ai essayé d'aller le voir pour lui dire que c'était la faute d'Ariane, mais voici ce qu'il m'a répondu :

Ricard : Non, Dylane, même si tu me remets le travail demain, ta note ne sera pas meilleure. Il fallait respecter le délai.

Moi : Mais c'est total injuste ! J'ai quasiment TOUT fait toute seule et j'ai fait confiance à Ariane pour qu'elle l'apporte ce matin !!! Je paye pour ses erreurs à ELLE !!!

Ricard : C'était justement ça, le but du travail. D'apprendre à former une équipe. Et désolé, mais vous avez échoué.

Moi : CE N'EST PAS JUSTE !!! JE...

Ricard : Baisse le ton, Dylane. Si vous me remettez le document demain, je vais tout de même prendre ce détail en considération.

Moi : Mais là, qu'est-ce que ça va changer ? Je coule déjà...

Ricard : Au moins, tu n'auras pas zéro. À toi de voir. Bon, retourne t'asseoir, le cours va débuter.

Je pense que si j'avais eu le travail entre les mains, je le lui aurais enfoncé dans le fond de la gorge !!! *Cream puff!* OK, pas dans le fond de la gorge... Pas pour vrai, en tout cas. Mais dans ma tête, je me suis fait des tas de scénarios impliquant le prof et ce fameux devoir...

Sauf que ça ne change rien du tout. Je vais couler à cause d'Ariane ! Et la seule excuse qu'elle a trouvée, c'est qu'elle n'a pas regardé ses courriels hier soir. FAUX et archi-faux ! Je sais qu'elle était sur Internet, car je l'ai vue commenter des statuts sur Facebook. Ce n'est qu'une menteuse ! Si elle

ne veut pas prendre ses études au sérieux, tant pis pour elle. Mais ce n'est pas mon cas !

~ 16 h 12 ~

Papa va m'étriper quand il va le savoir… Je vais me dépêcher d'aller m'entraîner et je le lui annoncerai à mon retour.

~ 16 h 13 ~

Même si ça ne me tente absolument pas…

~ 20 h 27 ~

Papa n'était pas content du tout. Il a dit que j'aurais dû m'organiser autrement. Bref, c'est encore et toujours de ma faute. Heureusement, Sébas a pris ma défense (contre toute attente…) en disant que les travaux d'équipe, c'est toujours le bordel. Surtout si on ne peut pas choisir notre coéquipier. On ne sait jamais sur qui on va tomber et si l'autre décide de ne rien faire, on est coincé et on doit se taper tout le travail.

Merci, Sébas… Je suis d'accord pour revoir ma vengeance à ton sujet. (Au sujet du vol de mon journal intime, en février dernier !)

N'empêche que papa est encore un peu fâché et il m'a dit que je devais m'arranger toute seule.

Il n'ira pas voir le directeur ni le prof de français (qui sont pourtant SES collègues de travail) pour en discuter.

Il n'avait pas l'air de très bonne humeur, papa, ce soir. Et je pense savoir pourquoi… D'après moi, il s'est disputé avec Laurie ! La preuve : il m'a demandé de nettoyer la fichue machine à barbe à papa pour la lui remettre.

Évidemment, il n'est pas question que je le fasse. En tout cas, pas ce soir. J'ai besoin d'un remontant, moi !

Mardi 24 mars

~ 19 h 38 ~

Encore une réunion du comité « Fêtes », aujourd'hui. On a une semaine pour préparer la journée du 1er avril, qui aura lieu mercredi de la semaine prochaine. Et comme d'habitude, je n'avais aucune idée brillante à proposer !

Mirabelle non plus, d'ailleurs. Mais comme elle n'était même pas là, ce n'est pas surprenant. Je vais répéter, juste pour être certaine que tu as bien compris… Mira, ma cousine chérie, celle qui m'a OBLIGÉE à me joindre à elle pour faire partie de ce comité… N'ÉTAIT PAS LÀ !!! J'étais toute seule !

Après la réunion, je l'ai textée pour savoir où elle se cachait et elle m'a répondu rapidement. Elle était encore dans l'école et on s'est écrit pendant qu'on se rapprochait l'une de l'autre. Voici d'ailleurs le résumé de notre échange :

> Je peux savoir té où ?

> La réunion est finie et té pas venue !!!

Je ne pouvais pas.

J'étais chez le directeur.

Hein ?

Pkoi ?

À cause de cette histoire de photos...

Il voulait me tenir informée de l'avancement de l'enquête.

Sérieux ?

Ils font une enquête ?

Comme dans la police et tout ?

Mets-toi pas des images dans la tête.

Cé juste le directeur qui essaie de savoir ki a parti le bal.

Je lui ai dit que c'était Émile, mais il n'a pas assez de preuves contre lui.

Ben là !

Cé tellement évident que cé lui !

Té où, là ?

J'approche des casiers.

Toi ?

Au deuxième étage.

J'arrive.

Hé, g une question pour toi...

OK.

Vas-y.

Pkoi t'as fait ça, au juste ?

La vidéo, je veux dire.

Je ne comprends pas comment t'as pu enlever ton chandail...

Ben... j'étais toute seule pour la St-Valentin.

J'avais besoin qu'un gars me trouve belle, je pense.

Cé niaiseux, hein ?

Quand même un peu...

Mais tu le sais ke té belle !

T'as pas besoin d'Émile pour ça !

Té fine...

Hey ! Je pense que je te vois.

Oui, moi aussi !

OK, j'arrête d'écrire ☺

Elle est tellement jolie, Mirabelle. Je ne peux pas concevoir qu'elle ne s'en rende pas compte. Tous les gars se retournent sur son passage à la café (OK, c'est aussi parce qu'elle exagère un peu sur le parfum) et elle est toujours super bien habillée. Elle pourrait se trouver un *chum* en claquant des doigts ! C'est ce que je lui ai dit, mais elle a répondu qu'il était peut-être temps qu'elle fasse une pause des gars. Pour un bon moment, en tout cas.

Pour en revenir à l'enquête concernant les photos de Mira nue, le directeur a rencontré tous

les élèves qui les ont partagées. Mais ne sachant pas où a débuté le statut, il n'ose pas punir un élève plus qu'un autre. Ils ont donc tous eu un avertissement et une note à leur dossier. Émile s'en tire à bon compte, je trouve. Il mériterait d'être carrément renvoyé! Si j'étais directrice, c'est exactement ce que je ferais, je pense.

D'ailleurs, voici la liste de toutes les choses que je ferais, si j'étais la directrice de notre polyvalente…

LISTE DES CHOSES QUE JE FERAIS SI J'ÉTAIS DIRECTRICE

✔ Mettre Émile-le-débile à la porte de l'école!

✔ Éliminer tous ces fichus comités d'élèves!

✔ Enlever ce stupide règlement qui dit qu'on ne peut pas mâcher de la gomme en classe. (Même si avec mes broches, je ne peux plus en mâcher, je reste solidaire des autres…)

✔ Ajouter des distributrices de chocolat chaud, de sloche à la framboise bleue et de barbe à papa dans tous les corridors.

✔ Disponibles gratuitement, évidemment !

✔ Reculer l'heure où les cours débutent. (Comme ça, je ne serais plus jamais en retard le matin !)

✔ Éliminer le vouvoiement obligatoire envers les profs.

✔ Mettre davantage de sorties scolaires.

✔ Changer le menu de la cafétéria. (Le ragoût, c'est dégueu, point à la ligne.)

✔ Diminuer la quantité de devoirs par soir.

✔ ÉLIMINER COMPLÈTEMENT LES TRAVAUX D'ÉQUIPE !!!

✔ Agrandir la cour d'école. (Et mettre un terrain de tennis...)

✔ Permettre les batailles de bouffe à la café.

✔ Ajouter des cours de cuisine dans notre cursus.

✔ Tolérance zéro pour la cyberintimidation !

✔ Plus de déco un peu partout. (C'est terne, avec tous ces murs beiges et gris, je trouve...)

✔ Ah et puis tiens, des portables pour tous les élèves !

✔ Permission de texter n'importe quand. (Comme si ça nous empêchait de travailler, pfff...)

✔ Et permission de venir à l'école en pyjama. (Ce serait même encouragé !)

✔ Sans compter que l'oreiller serait de mise... même dans les cours !

Je serais sûrement une directrice du tonnerre, appréciée par tous les élèves ! Je pourrais faire ça, plus tard, je pense… Directrice d'école. Ça sonne bien. Ouais… Si papa était encore avec Laurie, la conseillère en orientation, j'aurais pu aller lui en parler.

Pour commencer, ce serait peut-être une bonne idée de me présenter en tant que présidente de classe, l'an prochain ? On verra… J'ai encore le temps de me préparer et de monter ma campagne électorale.

Jeudi 26 mars

~ 7 h 19 ~

Zut, dimanche, quand je me suis rasé les jambes, j'ai oublié de faire pareil avec mes aisselles… Et là, je voulais mettre un chandail à manches courtes, sauf que j'ai peur qu'on voie mes poils qui dépassent. Surtout si le prof pose une question et que je lève le bras pour répondre.

D'un autre côté, je n'ai qu'à ne pas lever la main, évidemment! Mais j'aime ça, répondre aux questions des enseignants. En plus, je suis presque toujours assise à l'avant de la classe et je ne peux pas faire comme si je n'avais rien entendu… Contrairement à d'autres, je suis nulle à ce petit jeu. Je dois fixer bizarrement ou trop intensément ma gomme à effacer. Inévitablement, le prof finit par s'en rendre compte et j'ai l'air d'une idiote!

Alors je fais quoi? Pas le temps de me raser ce matin… Si je le fais sans prendre une douche, ça va m'irriter la peau et je vais avoir envie de me gratter toute la journée. Et si je saute dans la douche, papa va paniquer en disant que je monopolise la salle de bain le matin.

D'ailleurs, il faudrait qu'il se décide, lui ! Il veut qu'on se lave ou il veut qu'on lui laisse les toilettes seulement pour son usage ?! D'un autre côté, ce n'est pas moi qu'il doit pousser pour aller me laver, mais plutôt mes frères. Eux, ils sont capables de passer la SEMAINE sans prendre une douche ou un bain ! Bon, Fred est un peu plus propre que les deux autres, mais à peine !

Mon père, lui, c'est tout le contraire. TOUS les matins, il se lave. Beau temps mauvais temps (même si cette phrase n'a pas rapport dans le contexte, car il ne se lave pas dehors, tsé !), congé ou pas, fatigué ou en pleine forme. Et il reste un bon vingt minutes là-dedans ! C'est sûrement pour ça qu'il ne veut pas que j'y aille moi aussi. Car il ne veut pas perdre ses précieuses minutes sous l'eau chaude du jet.

Je me demande à quel âge un gars commence à avoir le goût de se laver tous les jours. Si je me fie à Anto, qui a dix-neuf ans, ce n'est sûrement pas avant vingt ans ! Mais peut-être qu'il est une exception…

Faudrait que je pose la question à Colin. Euh… à Florian, je veux dire. C'est à lui que je devrais le demander en premier, voyons ! C'est mon *chum*, après tout. Il passe avant Colin.

Enfin, je pense…

OK, suffit les niaiseries! Je vais mettre un chandail à manches longues. Comme ça, je pourrai lever le bras tant que je voudrai, point final!

~ 16 h 42 ~

OMG! J'ai vécu la journée la plus humiliante de TOUTE ma vie! Si tu savais!! Il faut que je te raconte.

Reprenons du début. Ce matin, j'ai mis un chandail à manches longues. Sauf qu'il fait chaud dans l'école, à cause du chauffage qui fonctionne parfois trop fort. C'est parce que c'est difficile pour le concierge d'ajuster la température en fonction du temps qu'il fait, à l'extérieur. Et dès ce midi, il faisait déjà très chaud.

Je n'avais pas prévu le coup. Je n'ai pensé qu'à mes fichus poils! Avec des manches longues, je pensais m'en tirer même si je levais la main devant les autres.

Erreur…

Je n'avais pas songé que j'aurais chaud. Que je transpirerais. Et que ça paraîtrait! OUI! Voilà! J'avais une énorme trace de sueur sous les bras!!!

C'est Ariane qui s'est fait un plaisir de me le faire remarquer (la grrr…). Maintenant, je vais

être connue comme la fille qui sue des bras! Qui tache ses vêtements! Qui est malpropre! (Alors que je me lave tout le temps, moi!) Et qui s'aère les bras en les levant!!!

J'aurais donc dû me raser, aussi, ce matin! Tout ça, c'est la faute de mon père!

~ 17 h 03 ~

D'après moi, je suis atteinte de transpiration excessive. Après tout, j'étais la SEULE fille à avoir de la sueur sous les bras. Je ne dois pas être normale. Il va falloir que je m'informe sur cette maladie...

~ 18 h 11 ~

Fred dit que je n'ai pas de maladie. Que c'est normal. Sébas s'en est mêlé et il s'est exclamé de dégoût. Pour lui, une fille qui transpire, c'est juste trop repoussant. Génial... Anto n'avait rien à dire sur le sujet (c'est vrai qu'il avait l'air absorbé par son cellulaire, aussi) et c'est là que papa nous a demandé de nous taire. (OK, j'avais commencé à crier après Sébas, je l'avoue...)

Ensuite, papa a ajouté que, comme j'étais une athlète et que je m'entraînais souvent, il est tout à fait normal que je transpire plus que la moyenne. C'est un effet secondaire, disons. Mon

corps est habitué à suer quand je fais du sport et en plus, c'est bon pour la santé, semble-t-il. Je ne vois pas en quoi ça peut être bon de puer et de devenir aussi mouillée qu'une lavette dès qu'on a un peu chaud ! Je ne me suis pas gênée pour le dire à mon père !

Moi : Ben là ! Ce n'est sûrement pas ce qui est le mieux pour se faire des amis, en tout cas !

Papa : Il me semblait que tu avais assez d'amis, toi ?

Moi : Rapport ?! C'est clair que je vais faire fuir ceux que j'ai déjà avec ma sueur ! Je vais finir dans mon coin, SEULE et incomprise.

Sébas : Et tu oublies puante !

Moi : Mêle-toi de tes affaires ou je t'envoie mes brocolis dans le front, OK ?!

Papa : ON SE CALME, TOUT LE MONDE ! Dylane, tu t'en fais pour rien. Un peu de sueur n'a jamais

tué personne. Il faut juste que tu trouves des vêtements qui vont absorber la transpiration. Comme, euh... Je ne suis pas un expert sur le sujet... Fred, est-ce que tu...?

Fred: Pourquoi on me le demande à moi? Parce que je suis gai? Les gais ne connaissent pas TOUS les tissus, vous saurez! **Anyway**, faut que j'y aille, je travaille ce soir.

Papa: Hé! On avait dit seulement un soir de semaine!

Fred: Je n'ai pas eu le choix, c'est mon patron qui voulait que je fasse un remplacement.

Papa: On va s'en reparler, en tout cas!

Sébas: Ce n'est pas juste! Pourquoi lui il peut travailler la semaine et pas moi?!

Papa: VOUS ALLEZ ME RENDRE FOU, TOUS LES QUATRE!!!

Moi : Mais là, je fais quoi, avec mes aisselles...?

Papa, Sébas et Fred : DYLANE !!!

Anto : Pourquoi tout le monde crie, ici ?

Comme tu peux le constater, avoir une discussion avec ma famille, c'est carrément impossible ! On est trop de monde et on veut tous parler en même temps. Et personne ne s'occupe de MON problème de sueur.

~ 19 h 24 ~

Je n'aurais pas dû aller faire un tour sur ces sites Internet. Maintenant, je le sais. Il y a des images qui peuvent rester gravées dans la tête trèèèès longtemps. Mais j'étais si stressée, à cause de ma transpiration abondante, que je suis allée taper ces deux termes dans Google. Sous l'onglet Images... À ne jamais refaire.

En plus, j'ai trouvé le nom de ma maladie : hyperhydrose primaire ! Oui, même le nom fait peur ! Sans compter qu'il n'existe aucun remède. Je dois impérativement appeler mon médecin pour qu'il m'aide.

Non, attends, je viens de lire que des électro-chocs pourraient en venir à bout… Euh… NON! Je ne vais pas recevoir des chocs électriques pour tenter de me guérir! Voyons donc! *Cream puff!* Je n'en suis pas à ce point!

~ 19 h 30 ~

En tout cas, j'espère…

~ 19 h 48 ~

Anto est venu dans ma chambre (c'est rare qu'il le fasse) et il m'a dit qu'il vient de comprendre de quoi on parlait, au souper. De ne pas m'en faire. Qu'à l'adolescence, c'est normal. On sue davantage. Et c'est la même chose pour une fille que pour un gars. Pour me prouver qu'il avait raison, il a texté une de ses amies qui étudie en psycho pour lui demander son avis.

> Arielle? Cé Anto!

> Gé 1 question de la part de ma sœur…

> Cool!

> Je t'écoute.

Mars

Je t'avertis, c'est un truc d'ado...

Pas de trouble !

OK, elle veut savoir si cé normal de suer un peu plus, à 14 ans ?

Mets-en !

J'avais tout le temps des spots sous les bras, moi.

Je mettais des chandails en coton, ça paraissait moins.

Dis-lui de s'acheter un antisudorifique et non un déodorant.

Ça fait toute la différence, je pense.

Merci, Arielle, té un ange !

On s'appelle plus tard ?

J'attends ton coup de fil !

XXX

Après ça, j'étais un peu rassurée. Mais un autre sujet d'angoisse est venu me déranger… Est-ce qu'Anto sort avec cette Arielle ?!? Me semble qu'il change plus souvent de blonde que de chandail, lui !

~ 19 h 51 ~

Et je l'aimais bien, Émilie…

~ 19 h 53 ~

Je ne prends pas de risque. Ce soir, je me rase les aisselles. Et demain, je mettrai un chandail EN COTON avec des manches courtes. En revenant de l'école, je passerai à la pharmacie pour acheter de l'antisudorifique. Je viens de me rendre compte que je ne portais que du déodorant.

Vendredi 27 mars

~ 16 h 13 ~

Visite éclair à la pharmacie pour acheter ce qu'il me fallait pour ne plus JAMAIS transpirer autant. J'espère que ça va faire une différence.

En plus, ce soir, je vais appeler Florian sur Skype. Il m'a promis d'être là et de passer du temps avec moi. Pas réellement avec moi, puisque des kilomètres de distance nous séparent, mais avec moi en image, au moins… Je m'ennuie de lui. Pas de lui comme il était à mon dernier séjour chez ma mère. De lui à nos débuts. De lui qui me disait *baby*. (Je ne pensais jamais dire ça un jour!)

D'ailleurs, je vais aller me maquiller (truc donné par Mirabelle) et ensuite, je l'appelle!

~ 16 h 46 ~

Juste avant de lui téléphoner, j'ai vérifié mes messages et j'ai vu que Florian m'en avait envoyé un. Je te le retranscris…

À : Dydy2000@mail.com
De : FlorianFleming@mail.com
Date : Vendredi 27 février, 16 h 31
Objet : **Sorry for tonight**...

• •

Baby,

Je ne peux pas te parler ce soir. **I received tickets** pour aller voir **a show**. **I can't** dire **no**... Je suis sûr que **you understand**. On se reprend **tomorrow** ? Je t'appelle.

I kiss you,

Florian

XXX

Ses becs, il peut se les mettre où il veut ! Sérieux ! Il est tout le temps en train d'annuler nos séances sur Skype ! Je commence à me poser des questions. Est-ce qu'il m'aime vraiment ou est-ce

que je ne suis que sa blonde du Québec ? Si c'est le cas, j'ai des petites nouvelles pour lui !

Tant pis, je ne vais pas rester sagement à l'attendre. Je m'en vais chez Colin ! J'espère qu'il est dispo…

~ 16 h 52 ~

Colin m'a invitée à souper ! Je pars à l'instant. Je n'avais absolument pas le goût de passer mon vendredi soir toute seule ! J'aurais pu appeler Mira… Ça fait un moment que je ne suis pas allée chez elle. Mais on dirait qu'elle veut être seule, ces derniers temps.

Dès demain, je règle la question. Si ma cousine file un mauvais coton, c'est un peu à moi de l'aider, non ? Peu importe que Florian ait prévu de m'appeler. Si je ne suis pas là, il n'aura que lui à blâmer !

Samedi 28 mars

~ 10 h 34 ~

Mira s'en vient! Et Annabelle aussi! Je n'ai pas dit aux filles qu'elles seraient là en même temps… Mais je trouve qu'Anna est toujours de bon conseil et en ce moment, ma cousine en a grandement besoin.

Je croise les doigts pour que ça ne cause pas de froid…

~ 17 h 18 ~

Les filles viennent de partir. Je ne vais pas m'en plaindre. Mira est tellement intense! Et Anna n'est pas mieux, par moment! En plus, elles ont décidé d'un commun accord de se mettre sur mon cas. C'est-à-dire de s'acharner sur moi. Ni plus ni moins!

C'est à cause de cette histoire de transpiration, aussi. Mira voulait savoir ce qui s'était passé. Elle avait entendu des rumeurs à mon sujet impliquant un chandail mouillé et un bras levé. Elle ne comprenait rien du tout (et tant mieux!).

Je n'en reviens pas! *Cream puff!* Les autres n'ont vraiment rien à faire, s'ils s'amusent à

colporter ce genre de ragots sur mon compte! Pfff… J'ai quand même expliqué aux filles de quoi il était question. D'abord, Mira a fait la grimace et a pincé les narines. Anna, plus calme, a soupiré en secouant la tête. C'est là que j'ai eu la (fausse) bonne idée de leur demander leur avis à propos de mon rasage d'aisselles. C'est parce que j'ai entendu dire que si on se rase tous les jours, on sue un peu moins.

Et voici comment notre conversation a dégénéré…

Moi: Mais, dites-moi, est-ce que vous vous rasez tous les soirs, vous ? Moi, ça finit par m'irriter la peau si je le fais trop souvent et…

Mira: C'est essentiel! Si tu ne veux pas passer pour une femme à barbe, tu n'as pas le choix! Je connais des crèmes qui pourraient soulager ta peau. Je te les prêterai quand…

Anna: Ben voyons, les filles! Le poil, c'est naturel! Moi, je ne me

rase pas du tout et je me sens beaucoup mieux.

Mira et moi: ...

Anna: Faites pas cette tête. Je vous le dis, on se sent libérée quand on n'est pas obligée de suivre les diktats de la mode et...

Mira: STOP! Tu peux répéter, s'il te plaît? Je ne suis pas certaine d'avoir compris. Tu. Ne. Te. Rases. Pas. Du. Tout? Comme dans pas pantoute??? Rien! **Niet! Nada?** Non mais, c'est bien dégueu!

Moi: Pour vrai? Je peux voir?

Mira: Ouache! Baisse tout de suite le bras ou j'appelle la police! T'es trop bizarre comme fille, Anna! Moi, c'est le rasage intégral, sinon j'ai l'impression d'être un ours!

Moi: Intégral? Qu'est-ce que ça veut dire?

MIRA: Que je rase tous les endroits de mon corps où il y a du poil.

Moi: Euh... même... là?

MIRA: Oui, même en bas. Entre mes deux jambes.

ANNA et moi: ...

MIRA: Revenez-en, je ne suis pas la seule fille de l'école à le faire! Même que c'est la norme, vous savez!

ANNA: En tout cas, moi, je ne me raserais JAMAIS sur le pubis. Trop de risques de faire des infections, des vagini...

Moi: OK! Arrête! On a compris! Mais sérieux, Mira, ça ne te pique jamais?

MIRA: On s'habitue.

ANNA: Ce n'est pas moi qui m'habituerais à...

Comme tu peux le voir, on s'est mises à parler de rasage… intégral ! Désormais, je ne pourrai plus jamais voir Mira de la même façon. Juste d'imaginer qu'elle n'a plus aucun poil, qu'elle est aussi lisse qu'un ver de terre… NON ! Je ne dois pas me faire d'image !

~ 17 h 24 ~

Trop tard, les images sont gravées dans ma tête et je ne peux plus les en sortir ! *Cream puff !!*

~ 18 h 57 ~

Je me demande ce que ça ferait de se raser au complet. Comme Mira, je veux dire… Je viens d'aller aux toilettes et, finalement, je pense que ça ne me ferait pas de tort. Présentement, si je vais à la piscine, c'est sûr que certains de mes poils vont sortir de mon maillot. Je pourrais simplement raser les bords. Une coupe bikini, je crois.

Ouais… je m'en vais dans le bain et j'arrange ça !

~ 19 h 46 ~

Zut, je me suis un peu coupée… C'est que je ne suis pas habituée à me raser à cet endroit !

Heureusement, avec un petit mouchoir, le sang s'est arrêté. Je suis pas mal fière du résultat.

Et pour éviter que mon père fasse une crise cardiaque, j'ai pris soin de nettoyer le bain, après mon passage. Il faudra que je pense à me procurer la crème dont Mira parlait, aujourd'hui. Pour que ma peau ne soit pas trop irritée par la lame du rasoir.

Oh, avec tout ça, j'oubliais que Florian doit m'appeler. Il me semble que c'est un peu long… Je vais aller voir s'il a tenté de me téléphoner pendant que j'étais dans le bain.

~ 21 h 25 ~

Je viens de fermer Skype. Florian ne m'avait pas encore appelée, alors c'est moi qui l'ai joint. Il venait de se préparer une collation de fin de soirée. On a jasé un long moment. Bon, en réalité, c'est moi qui ai parlé et Florian mastiquait son truc (un sandwich, je pense). Non mais, comment peut-on manger à cette heure? À part de la barbe à papa, je veux dire! Ou du popcorn au caramel! C'est bon aussi pour les chips…

C'est une affaire de gars, je pense, d'avoir faim n'importe quand. Oui, ils sont en croissance, mais quand même! C'est exagéré, leur affaire!

En tout cas, j'ai raconté à Florian mon problème avec Ariane et il a hoché la tête en grommelant. Je n'ai rien compris, alors j'ai enchaîné sur Mira qui ne va pas bien et sur les photos qui ont circulé le mois dernier. Là encore, Florian a seulement marmonné deux ou trois mots, la bouche pleine.

Puis, je lui ai parlé de mon frère Anto qui passe son temps à changer de blonde, de mon père qui ne sort sûrement plus avec Laurie, de Colin qui se rapproche un peu trop à mon goût (non, je ne l'ai pas dit dans ces mots-là...) de Justine Lagacé (sérieux, elle commence à m'agacer solide, cette fille !) et d'Anna qui ne se rase pas du tout. Là, Florian a recraché sa bouchée en faisant la grimace.

Et il a décidé de mettre fin à notre conversation. Il devait se laver et il avait un peu d'étude à faire avant lundi. De toute manière, je n'avais plus rien à ajouter et comme mon *chum* ne semblait pas d'humeur très bavarde, je lui ai envoyé un bec soufflé (qu'il a attrapé au vol, c'était trop mignon) et on s'est laissés là-dessus.

D'ailleurs, je vais faire pareil avec toi, cher journal, car je sens que je suis fatiguée d'avoir tant parlé. Et il est temps que j'aille faire un tour dans mon lit pour la nuit...

Dimanche 29 mars

~ 8 h 14 ~

ÇA ME PIQUE!!! Incapable de dormir! Pourquoi je me suis rasée, aussi!!! On est encore en hiver et je ne vais JAMAIS à la piscine!!!

Il faut que je me trouve une crème pour m'apaiser…

Lundi 30 mars

~ 7 h 11 ~

Rien à faire. Ça me pique encore autant qu'hier. Je sens que je vais devenir folle. Et aujourd'hui, je ne peux pas me gratter devant les autres, sinon ils vont me trouver bizarre !

Je CA-PO-TE !

Et promis, c'est la dernière fois que je me rase le pubis !!!

~ 16 h 27 ~

Journée total infernale ! Je passais mon temps à me cacher pour me gratter. Et là, je dois encore me rendre à mon entraînement. Comment je vais faire pour passer au travers ?!

~ 21 h 38 ~

Je viens de sortir du bain… Ça a fait un bien fou… C'est Mira qui m'a dit d'en prendre un et d'y mettre des huiles essentielles pour me soulager. J'ai fini la bouteille, tellement je voulais que ça arrête de me piquer. Elle a ajouté que c'était tout à fait normal, car j'ai utilisé un rasoir, alors que j'aurais dû aller chez l'esthéticienne pour me faire épiler.

Comment j'aurais pu savoir ? En plus, ce n'est pas mon père qui m'aurait pris un rendez-vous !

De toute manière, je ne compte pas renouveler l'expérience, donc pas besoin de prendre en note le nom de son esthéticienne. Là, je viens de mettre une crème et je vais aller m'étendre. Je me retiens à deux mains pour ne pas me gratter de nouveau. Ma cousine dit que si je commence à le faire, ça va me démanger encore plus.

Donc, je dois me contrôler.

~ 21 h 59 ~

Même si c'est ultra difficile…

~ 22 h 23 ~

Genre quasiment impossible…

~ 22 h 46 ~

Ah pis de la chnoute, je me gratte et tant pis ! Ça fait tellement de bien…

~ 22 h 48 ~

Mira avait raison, ça me pique tellement que j'ai le goût d'utiliser une fourchette pour me frotter ! *Cream puff*, vivement que les poils repoussent !!!

Mardi 31 mars

~ 18 h 39 ~

Oh non ! Demain, c'est le 1er avril. Dans les faits, je n'en ai rien à faire de cette date. Je ne suis pas du genre à jouer des mauvais coups à qui que ce soit ni à coller des poissons dans le dos des autres. Sauf que depuis que j'ai eu (la merveilleuse) idée de m'inscrire au comité « Fêtes », je DOIS organiser quelque chose pour cette journée !

Et la semaine dernière, je n'ai PAS écouté du tout durant la réunion. Donc, je ne me souvenais pas que je devais préparer une centaine de poissons en carton, que nous allions distribuer dès le matin afin que les élèves puissent s'amuser entre les cours…

Bref, il me reste (une minute, je fais le calcul…) treize heures et vingt et une minutes pour TOUT terminer !!! Je. Suis. Dans. La. Bouette ! Jusqu'au cou !!! Pas le choix, je vais avoir besoin d'un coup de main. Je vais aller voir si mes frères sont disponibles…

~ 18 h 42 ~

Anto veut bien m'aider, mais Fred n'est pas là et Sébas a des devoirs. Je vais essayer de joindre

d'autres personnes. Mira a d'autres tâches à terminer pour le comité (elle doit s'occuper de la décoration) et elle ne pourra sûrement pas venir. Il me reste Colin et Anna…

~ 18 h 46 ~

Ils vont venir ! Les deux ! Ouf ! Je vais peut-être y parvenir si je garde le moral ! En plus, papa a décidé de nous aider. Et Laurie aussi ! (Première fois de ma vie où je suis contente qu'elle soit chez moi…)

Pour les remercier, je vais aller préparer une énorme portion de barbe à papa pour tout le monde !

Une longue soirée se prépare pour nous…

AVRIL

« Je dois préparer des MILLIERS de poissons en carton pour le 1er avril...

Anto en est à sa CINQUIÈME blonde depuis seulement un mois.

Mon père sort officiellement avec Laurie, Mira cherche l'âme sœur, Anna tripe sur les alpagas et moi, je dois prendre une grande décision à la fin du mois... »

Mercredi 1er avril

~ 7 h 06 ~

Aujourd'hui, 1er avril, j'ai des dizaines de poissons de toutes les couleurs dans mon sac à dos. On a terminé de les confectionner très (TRÈS) tard, hier soir. En fait, quand je dis hier soir, je veux plutôt parler de ce matin, très (TRÈS) tôt...

Ça explique la présence des cernes sous mes yeux. Une chance que nous avons une semaine d'école de seulement quatre jours (congé vendredi et lundi prochains, puisque c'est Pâques en fin de semaine), car je ne pense pas que je pourrais passer à travers une semaine complète tellement je suis fatiguée! Anna est partie un peu avant vingt-trois heures et Anto a démissionné juste après. Il se plaignait qu'il avait mal aux doigts. Même Colin a été obligé de partir à un moment, car il disait qu'il avait peur de se couper avec les ciseaux, puisqu'il cognait des clous.

À la fin, nous n'étions que trois: papa, Laurie et moi... Si elle n'avait pas été là, je ne sais pas ce que j'aurais fait!

Je n'aime pas avoir à dire ça, mais… Laurie, elle est géniale. Et super gentille. J'espère que papa va se décider à officialiser sa relation avec elle. Parce qu'on n'est pas stupides, mes frères et moi. (Disons simplement que MOI, je ne suis pas stupide…) On le SAIT qu'ils se fréquentent! Hier, je la soupçonne même d'avoir dormi à la maison. Mais elle s'est levée aux aurores pour pouvoir partir en douce. La porte d'entrée a fait du bruit quand elle s'est refermée. Et j'ai jeté un coup d'œil à mon réveille-matin: il était cinq heures du matin.

Ce ne sont pas mes oignons, mais je pense que je vais quand même en glisser un mot à papa. Il mérite de sortir avec une bonne personne et Laurie, malgré tout ce que j'ai pu dire à son sujet, je pense qu'elle rendrait mon père heureux. C'est ça le principal, je crois…

~ 7 h 27 ~

OMG! Rien à faire avec mon visage! J'ai d'ÉNORMES poches sous les yeux et je ne sais pas comment les faire disparaître! Ce n'est pas le fond de teint de Mira qui y changera quoi que ce soit! Et mes yeux sont injectés de sang. (Comme un vampire!!!) C'est affreux. Il n'y a pas d'autre mot pour décrire mon état!

~ 7 h 29 ~

Peut-être que je pourrais dire aux autres que c'est un déguisement pour le poisson d'avril… Oh! Mieux que ça! Je fais croire aux autres que je suis bel et bien devenue un vampire durant la nuit!

~ 7 h 31 ~

Oublie ça, c'est trop idiot. Je vais juste avoir l'air d'une folle. Faut que je pense à autre chose, parce qu'il est hors de question que je sorte de la maison avec ce visage!

~ 7 h 35 ~

Papa me crie de me dépêcher. Je ne veux pas! Et je n'ai même pas encore préparé mon lunch… Je vais être en retard!

~ 7 h 36 ~

Bon, pas le choix… Papa m'a tendu un plat en plastique qui était dans le frigo. Au moins, je ne mourrai pas de faim aujourd'hui. Et si je manque mon autobus, je ne pourrai pas distribuer mes poissons en carton dès le début des cours et j'aurai travaillé pour rien. Un peu de courage, Dylane!

Ce ne sont pas des cernes qui vont t'empêcher de foncer, dans la vie !

~ 16 h 13 ~

Comment passer pour une imbécile, par Dylane Morin ! Pas à cause des poissons en carton (ça, c'était une idée super cool et tout le monde s'est amusé à en coller dans le dos des autres à leur insu), mais parce que le lunch que papa m'a donné ce matin était le pire des repas à apporter dans une école secondaire !

Oui, c'était quand même un peu concept que d'avoir un restant de saumon dans un plat. Mais est-ce que mon cher papa a pensé à l'odeur qui se dégagerait du four micro-ondes, une fois que je l'aurais fait réchauffer ? Sûrement pas ! C'était ultra dégueu ! Tout le monde s'est bouché le nez dans la cafétéria et chacun essayait de voir d'où venait cette odeur. Même Colin est passé près de moi et a fait la grimace.

Mira, pour sa part, a carrément refusé de manger en ma compagnie. Anna n'a rien dit, mais je sais qu'elle était incommodée par l'odeur. Les autres élèves, eux, ne se sont pas gênés pour me faire des commentaires, par contre ! J'étais découragée. Et ça m'a coupé l'appétit.

Finalement, j'ai jeté mon repas dans la première poubelle, sauf que le concierge est venu me dire de ne pas mettre n'importe quoi dans les bacs. Qu'il y avait des odeurs bizarres qui en sortaient et des jeunes lui avaient dit que c'était ma faute. Je n'étais pas pour retourner chercher mon plat, alors j'ai tout nié en bloc.

Ça s'est même rendu aux oreilles du directeur, que j'ai croisé dans le corridor un peu plus tard dans la journée et qui m'a dit:

Directeur: Dorothée?

Moi: Dylane...

Directeur: Non, je ne la connais pas... Mais je voulais te dire qu'il était préférable que tu n'apportes plus de repas à l'odeur envahissante à l'école. Ça incommode les autres. Est-ce que tu comprends?

Moi: Ouais, ouais...

Directeur: Super! Bonne journée, Daphnée!

Moi: Dylane...

Directeur: Désolé, je ne l'ai pas vue. Bonne journée !

Je vais aller dire deux mots à papa à propos de son lunch…

~ 16 h 27 ~

Papa (qui avait le même lunch que moi ce midi) trouve que c'est de la discrimination envers les poissons et qu'eux aussi, ils ont le droit de se faire manger. N'importe quoi… Il me décourage. Il paraît qu'il s'est fait dire par ses collègues de travail (dans la salle des profs) de ne plus apporter ce genre de repas. Ça devait puer dans leur local !

Tant pis pour lui !

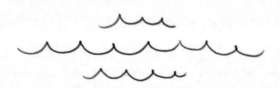

Vendredi 3 avril

~ 12 h 01 ~

Congé aujourd'hui ! Ça fait du bien ! Je viens juste de me réveiller et j'avais VRAIMENT besoin de faire la grasse matinée aujourd'hui ! Mes frères sont tous à la maison. Je les entends qui font du bruit dans la cuisine. Ça sent les crêpes… Peut-être que papa a pensé à nous en préparer. Il en fait toujours, à Pâques !

~ 12 h 04 ~

OMG ! Il y a bien des crêpes dans la cuisine. Mais ce n'est pas mon père qui les a préparées, mais Laurie ! Oui ! Laurie ! Elle a dormi ici hier soir ! Mes frères mangeaient comme si de rien n'était et j'étais la seule à faire de gros yeux.

Pas le choix, je dois retourner dans la cuisine… (Surtout si je veux qu'il me reste des crêpes, au rythme où mes frères les bouffent !)

~ 13 h 12 ~

Je viens d'avoir une discussion seule à seul avec papa. Il sort bel et bien avec Laurie. Plus de cachette. Il dit que ça va arriver un peu plus

souvent qu'elle dorme chez nous et qu'elle soit là le matin. Il voulait savoir si ça me dérangeait ou si j'étais à l'aise avec ça. Je n'étais pas pour dire que je n'étais pas d'accord. Après tout, maman a bien un *chum*, elle! Papa aussi a le droit de se faire une blonde… Même si c'est bizarre.

En tout cas, les crêpes étaient délicieuses. Encore un point pour Laurie.

Samedi 4 avril

~ 14 h 22 ~

Rien à faire. Mes amis ne sont pas disponibles. Colin n'est pas là. (Il ne m'a même pas dit où il allait!) Aucune nouvelle de Florian non plus. Anna passe la journée dans la famille de sa mère. Mira est partie pour le long week-end et mes frères avaient tous un truc urgent à faire. Bref, je suis seule et je m'ennuie.

Je pense que je vais aller m'acheter des magazines pour passer le temps. Les boutiques sont ouvertes, non, le samedi avant Pâques? C'est demain que tout sera fermé, je crois…

Je vais aller voir pour m'en assurer.

~ 15 h 48 ~

De retour avec les mains pleines! J'ai pris une revue de maquillage (Mira serait fière de moi), un livre de recettes végétariennes (cette fois, c'est Anna qui va sauter de joie, même si je ne promets pas de tout essayer…), mon magazine habituel de sports et aussi une revue de filles avec des tests et des quiz. Je pense que je vais commencer par feuilleter celui-là…

~ 16 h 02 ~

Je viens de tomber sur le pire quiz au monde!!! Ça s'intitule: «Quel type de licorne se cache en toi?»

Euh… c'est parce qu'il n'y a aucune espèce de licorne qui se cache en moi!!! Franchement! Pourquoi je voudrais être une licorne, d'abord?! C'est total ridicule!

~ 16 h 03 ~

Mais juste pour le *fun*, je vais essayer de faire le test… Je te reviens avec les résultats et je mettrai le tout entre tes pages, cher journal.

Quel type de licorne se cache en toi ?

Tu es une fan des licornes ? Tu adores ces animaux imaginaires qui peuplent le monde de la fantaisie ? Voici un quiz parfait pour toi ! En répondant aux questions suivantes, tu découvriras LA licorne qui se cache en toi et qui ne demande qu'à sortir au grand jour !

1. Sur tes vêtements, il y a toujours…

a) … des cœurs et des arcs-en-ciel !

b) … des paillettes, des brillants et des couleurs qui flashent !

c) … le visage de tes vedettes préférées !

2. Le cellulaire que tu viens de recevoir en cadeau est…

a) … déjà rempli des numéros de téléphone de tous les gens que tu connais !

b) … muni d'un étui original !

c) … rose, évidemment !

3. Lorsque tu es invitée dans un party, tu te dis…

a) … que tu es choyée d'avoir autant d'amis !

b) … que c'est le moment parfait pour porter la tenue ultra originale que tu viens de créer de tes propres mains !

c) … qu'il était temps, tu commençais à t'ennuyer, seule chez toi.

4. À quoi ressemble la licorne parfaite, selon toi?

a) Elle ne vit que pour créer le bien autour d'elle.

b) Elle a des pouvoirs magiques encore insoupçonnés.

c) Elle est d'une beauté à couper le souffle et tous rêvent d'être son amie.

5. Où vivent les licornes, selon toi?

a) Dans un pays peuplé de gens merveilleux…

b) Dans le ciel, sur les nuages, et elles passent leur temps à se jouer des tours de magie!

c) Dans les contes de fées, avec les princes charmants et les princesses…

> ***Comment calculer ton pointage**: Compte le nombre de lettres A, B ou C que tu as cochées et découvre quelle licorne est en toi en te référant aux résultats suivants.

RÉSULTATS:
Plus de réponses A:
La licorne généreuse

Si tu as davantage de A dans tes réponses, c'est que tu as sans contredit une licorne généreuse qui sommeille en toi. Sache que c'est un honneur que d'accueillir cette licorne dans son cœur. Elle est la générosité incarnée et veut faire le bonheur de tout un chacun. Très respectée par son entourage, il se peut tout de même que certaines personnes profitent d'elle. Dis-toi que ce n'est pas malsain de penser d'abord à soi, avant de tout donner aux gens que tu aimes.

Amour: La licorne généreuse donne son cœur sur un plateau d'argent. Une fois qu'elle aime, elle le fait sans compter. Son amoureux peut parfois être effrayé par tant de don de soi. Mais si tu trouves le bon, celui-ci te le rendra au centuple. Cette licorne mérite un amour inconditionnel qui durera longtemps…

Plus de réponses B :
La licorne créative

Cette licorne a des talents insoupçonnés dès qu'il est question d'art et de créativité. L'imagination de la licorne qui vit en toi est sans limite et ne demande qu'à sortir au grand jour. Nourris ta licorne en continuant de créer et elle t'en remerciera. Ceux et celles qui ont une licorne créative en eux sont très chanceux, car cette licorne est très rare. Prends-en soin et assure-toi de libérer son imagination.

Amour : Explosive à ses heures, la licorne créative peut faire peur. Mais celui qui saura l'approcher sera impressionné par tout ce qu'elle a à offrir. Il ne faut pas l'effaroucher, mais savoir l'amadouer en s'intéressant à ses passions. Une fois que cela sera fait, cette licorne sera d'une fidélité sans borne pour l'élu de son cœur.

Plus de réponses C :
La licorne séductrice

Tout au fond de toi sommeille une licorne qui ne demande qu'à être admirée et aimée. Elle adore bien paraître et sait comment se faire des amis. La licorne séductrice utilise parfois son pouvoir de séduction pour arriver à ses fins. Fais attention à ne pas manipuler les autres, car ta licorne peut parfois prendre les commandes avant même que tu ne t'en aperçoives.

Amour : Cette licorne passe d'un amour à un autre. Il est difficile pour elle de fixer son choix. Il faut dire qu'elle a tant de prétendants qu'elle en perd vite ses moyens. Prends le temps de te demander si tu es bel et bien en amour avec l'autre, avant de t'engager…

~ 16 h 26 ~

C'était vraiment n'importe quoi! La preuve, je n'ai pas été capable de répondre à la moitié des questions! *Cream puff!* Je n'ai pas de cœurs, de paillettes ni de vedettes sur mes chandails! En plus, je ne crois même pas à ça, les licornes! Non mais, pourquoi j'ai répondu à ce quiz ridicule, aussi?

Bon, comme je n'ai rien de mieux à faire, je vais quand même essayer de répondre au test: « Serais-tu une bonne blonde de star? » Ensuite, je vais voir si je suis plus de type chat ou chien. Et pourquoi pas le quiz suivant: « Quel émoticône te ressemble le plus? »

~ 18 h 01 ~

Je ne ferais pas du tout une bonne blonde de star, je suis plus chat que chien (ce qui est faux!!!) et mon émoticône est celui-là :

Cream puff! Pourquoi j'ai perdu mon précieux temps avec des quiz aussi ridicules? Avec tout ça, je n'ai pas encore soupé et j'ai le ventre qui grogne depuis une bonne demi-heure!

Mais où est papa, aussi? Et pourquoi il ne nous appelle pas pour nous dire que le souper est prêt? Je vais aller voir ce qui se passe dans la cuisine!

Avril

~ 18 h 06 ~

Ce n'est pas compliqué, il ne se passe rien du tout ! Papa m'a laissé un mot sur le comptoir pour me dire qu'il sortait manger au restaurant avec Laurie. Je pense que je suis seule dans la maison. En tout cas, si mes frères sont là, ils sont plutôt tranquilles. Comme papa a aussi mis de l'argent sur le comptoir, je vais commander de la pizza et aller voir où se cachent les autres.

~ 18 h 08 ~

Euh… pendant que je commandais la pizza, la ligne téléphonique a été coupée. (C'est rare maintenant que j'utilise la ligne de la maison, mais la batterie de mon cellulaire est presque morte.) Soudainement, je n'entendais plus rien à l'autre bout du fil. En fait, c'est faux. J'avais l'impression d'entendre quelqu'un respirer…

Je commence à avoir un peu peur. Il faut que je trouve l'un de mes frères. Tout de suite. Je reviens.

~ 18 h 09 ~

IL Y A EU UN BRUIT SUSPECT DANS LE CORRIDOR ! Je viens de me cacher sous mes couvertures ! Imagine que ce soit un voleur et qu'il ait

coupé notre ligne téléphonique !! Peut-être qu'il s'en vient m'attaquer !!! Il ne faut pas que je fasse de bruit…

J'AI HORRIBLEMENT PEUR !

~ 18 h 11 ~

Oooooooh ! Il n'y a plus aucun bruit dans la maison, désormais. C'est encore plus louche que tout à l'heure. Je n'ai pas le choix, je vais devoir aller vérifier si la porte d'entrée est bien verrouillée.

Si je ne reviens pas, cher journal, tu sauras ce qui m'est arrivé. Et à celui qui te trouvera : NE LIS PAS CE QUE J'AI ÉCRIT ! C'EST PERSONNEL, OK ?!

~ 18 h 17 ~

Rien dans le couloir. Et toujours aucun bruit. Je n'ai pas réussi à me rendre jusqu'à la porte. Je dois trouver le moyen d'appeler quelqu'un pour qu'il vienne m'aider. Je vais essayer de texter Colin. Espérons que mon cellulaire fonctionnera assez longtemps pour ça…

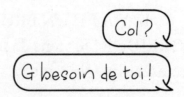

Tout de suite !!

Koi ?

Y a un maniaque dans la maison !

Viens m'aider !

???

Est-ce que cé une joke ?

NON !!!

Il a coupé la ligne téléphonique.

Je n'ai pas pu commander de la pizza.

Je suis toute seule.

VIENS !!!

Tsé, si tu veux que j'aille chercher de la pizza, y a des moyens plus conventionnels de le demander...

C'EST VRAI CE QUE JE TE DIS !!!

Ouf, je ne serai plus seule bien longtemps. Ce n'est pas vrai que j'ai entendu du bruit dans le couloir. Mais Colin ne voulait pas me croire! Et j'ai fait exprès de ne plus lui répondre pour qu'il arrive ici le plus vite possible.

~ 18 h 23 ~

Comment je vais faire pour savoir que c'est Colin et non un voleur qui cogne à la porte ?

~ 18 h 24 ~

Un voleur ne cogne pas, d'habitude, c'est vrai… Mais on n'est jamais trop prudent. Je vais aller voir par la fenêtre du salon. Encore faut-il que je me rende sans me faire attaquer…

~ 18 h 27 ~

C'est bien long avant qu'il arrive ! Il doit s'être dit que je voulais rire de lui ! *Cream puff !* En plus, je me suis rendue jusqu'au salon sur la pointe des pieds afin de mieux voir dehors, sauf qu'il y a des drôles de craquements en provenance des chambres…

Il y a vraiment une autre personne que moi dans la maison !

~ 18 h 28 ~

IL Y A EU UN CRI ! OMG ! Ma dernière heure est peut-être venue !!! Pas question que je me laisse faire sans me défendre. Je vais aller chercher le rouleau à tarte dans la cuisine (je ne prendrai pas un couteau, car j'aurais bien trop peur de

me blesser!) et je vais aller jeter un œil dans les chambres.

~ 18 h 39 ~

Fausse alerte. Je viens de vivre le moment le plus humiliant de TOUTE ma vie!!! Sans compter que c'était un truc pour me traumatiser le restant de mes jours! Devine un peu qui faisait du bruit dans la chambre: Anto! Avec une fille que je ne connais pas du tout. (Il l'a appelée Léanne, je pense.) Et tous les deux, ils étaient en train de… Sans aucune couverture pour se cacher. Léanne était assise à califourchon sur mon frère (à cheval, quoi) et elle se balançait d'avant en arrière.

Quand je suis entrée en trombe dans la chambre d'Anto, le rouleau à tarte haut dans les airs, ils se sont mis à crier. Moi aussi. On a tous crié très fort. Sans s'arrêter. Jusqu'à ce qu'Anto se lève (NU!!!) et me repousse pour que je sorte de la pièce.

Je pense que je vais vomir. Je ne me sens pas bien.

~ 18 h 43 ~

C'est définitif. L'image de ce que mon frère était en train de faire va rester gravée À VIE dans

ma tête. Je suis ultra sérieuse ! C'était… c'était… tellement bizarre. J'ai déjà vu une fille toute nue. Moi, pour commencer, mais aussi dans les films, parfois, et dans les vestiaires du gym. (Mais pas trop parce qu'on essaie toutes de se cacher un peu quand on se change.)

Sauf qu'il y en a toujours une qui se déshabille carrément devant les autres et qui enlève sa serviette sans se tourner et qui continue à nous parler, pendant ce temps-là. Et nous, on ne sait pas où regarder. Parce que si on tourne la tête, elle va penser qu'on ne l'écoute pas. Par contre, si on baisse les yeux, elle va penser qu'on la reluque ! Donc, pas le choix, il faut qu'on garde les yeux fixés sur son visage et c'est troooop stressant, ce qui fait qu'on n'écoute rien du tout, en fin de compte !

Mais là, c'était total différent. Cette Léanne, elle était tout en sueur et elle avait l'air d'avoir beeeen du *fun* avec Anto. Genre qu'elle lâchait des petits soupirs et des gémissements. Et le pire, c'est qu'elle SE TOUCHAIT ! Comme dans : elle se passait les mains sur les seins !! Et plus bas !!! Je ne devrais pas avoir vu ça. Je suis trop jeune. Parfois, je voudrais redevenir une petite fille pour ne pas me poser ce genre de questions. Pour ne pas entrer dans ce monde d'adultes qui m'effraie un peu,

je l'avoue. En même temps, c'est ultra excitant de découvrir ce qui nous attend…

Mais pas quand ça concerne MON frère! Ça, c'est *too much*, comme dirait Florian… Oh, quelqu'un sonne à la porte. Ça doit être Colin. Je vais aller lui ouvrir.

~ 21 h 03 ~

Colin a ri de moi. Pendant toute la soirée. Anto et la fille avec qui il était en train de… Bref, mon frère et sa blonde (peut-on vraiment la qualifier de blonde?) sont venus me voir dans ma chambre pour s'expliquer. Ils ne savaient pas que j'étais là. Colin était encore plus crampé. Moi, j'avais super honte et je n'osais pas les regarder dans les yeux.

Anto a rigolé un peu lui aussi et il a ajouté que, maintenant, je n'aurais plus besoin de demander à papa comment se font les bébés. Pfff! Je SAIS comment se font les bébés! Je n'avais juste pas besoin de le voir EN VRAI! Ni que ce soit MON FRÈRE qui me fasse une démonstration!

Je suis traumatisée à vie…

Après ça, Colin a voulu me remonter le moral et il a dit qu'il en avait profité pour apporter de la pizza de chez lui. (Pas pour rien que ça a pris

autant de temps !) On l'a mangée au complet et je me suis immédiatement sentie mieux. (Je n'en ai pas laissé pour mon frère l'obsédé !)

Après, on a écouté un film et je n'ai pas osé demander à Colin ce qui se passe entre Justine Lagacé et lui. (J'ai encore en tête la photo d'eux vue sur Facebook…) J'avais peur que ça dérape sur ma relation avec Florian.

Mais on a regardé le film l'un à côté de l'autre sur le divan et, à un moment, il a même passé sa main derrière moi pour la poser sur mon épaule. J'ai accoté ma tête sur lui et j'entendais son cœur battre très fort. Il sentait bon (comme toujours) et son chandail était super doux. Bref, c'était une belle soirée, malgré la façon dont elle avait débuté.

Quand papa est revenu, je ne lui ai rien dit au sujet de mon frère et Léanne, mais je lui ai expliqué que le téléphone ne fonctionnait plus. Puisque tout est rentré dans l'ordre un peu avant minuit, il pense que c'était seulement une panne dans le secteur.

Colin est parti dès que le film s'est terminé, mais il a pris la peine de m'embrasser sur les deux joues. (Ce qu'il ne fait jamais, normalement.) Et il a effleuré le coin de ma bouche. Ça m'a donné des frissons. Il a dû s'en rendre compte, car il a dit

qu'il ressentait encore la même chose pour moi et qu'il était prêt à m'attendre le temps qu'il faudrait.

Je n'ai rien répondu et il est sorti sans rien ajouter. Qu'est-ce que tu en penses, cher journal ? Est-ce que je devrais casser avec Florian et sortir avec Colin ? Tu ne crois pas que ça pourrait nuire à notre amitié ?

Je ne sais plus quoi faire…

Dimanche 5 avril

~ 8 h 02 ~

Anto vient de me réveiller pour me demander de ne rien dire à papa à propos de l'épisode « à cheval » de la veille. Évidemment que je ne vais rien dire ! Comme si je n'avais que ça à faire ! En plus, il me prend pour qui ? Une rapporteuse ? *Cream puff* ! C'est hyper insultant, tsé !

Je lui ai répondu de ne pas s'en faire avec ça, que je savais garder un secret. J'ai ajouté que j'aimerais mieux qu'il cogne avant d'entrer dans ma chambre et qu'il me laisse dormir, le dimanche matin ! Mais je n'ai pas eu le temps de me rendormir que Sébas est entré en trombe à son tour. Il voulait savoir si j'avais vu la manette de la télévision.

Euh… NON ! Et JE DORMAIS, au cas où il ne l'aurait pas remarqué ! Je lui ai crié de sortir et de me laisser tranquille. Mais il s'est mis à m'accuser d'avoir perdu la fameuse télécommande. Papa a été obligé de venir s'en mêler et pendant que je me cachais le visage sous mon oreiller pour ne plus les entendre, je me suis rendu compte que j'étais totalement réveillée. Et en plus, ben… la manette était là, sous mon oreiller. Aucune idée de qui a bien pu la mettre là !

Bref, on est dimanche. Huit heures. Et je n'arrive plus à fermer l'œil. Je vais être obligée de me lever. Une chance, c'est Pâques aujourd'hui. Je devrais donc recevoir des chocolats… Avant, papa les cachait dans la maison en nous faisant croire que le lapin de Pâques avait laissé des œufs derrière lui. Avec le recul, je constate que c'était un peu ridicule de croire à un truc pareil, car un lapin ne pond pas des œufs ! Au pire, il fait des crottes. Donc, c'était genre ses crottes qu'on ramassait… Et on était super contents, en plus !

J'ai de drôles de réflexions, ce matin… Je dois manquer de sommeil.

~ 8 h 38 ~

Comme prévu, mes chocolats m'attendaient sur la table de la cuisine. Papa les a laissés là pour qu'on les voie dès qu'on se lèverait. Moi, j'adore les œufs Cadbury et je suis la seule à en avoir. Anto aime mieux les œufs Laura Secord tandis que Fred et Sébas préfèrent encore recevoir des animaux en chocolat. Ça fait un peu bébé, je trouve… De la part de Sébas, ça ne m'étonne pas, mais Fred ?!

Oh non ! J'ai les mains pleines de chocolat ! Je vais me laver et je reviens. Je ne veux pas tacher tes pages.

~ 9 h 11 ~

Papa vient de me chicaner parce que j'ai
commencé à manger mes chocolats… Il dit qu'on
ne devrait pas les prendre le matin. C'est mauvais pour l'estomac. Je ne vois pas en quoi mon
estomac a un problème avec ça. Au contraire, je
trouve qu'il a l'air très heureux, mon estomac. Et
il semble même en demander encore.

Je vais vérifier la chose en mangeant un dernier coco. Je me dépêche, car je ne veux pas que
mon père s'en rende compte…

~ 9 h 47 ~

Papa avait peut-être raison, après tout. Six
œufs Cadbury d'un coup, ça se digère très mal,
avant dix heures du matin… J'ai un peu la nausée.
Il va me falloir un grand verre de lait.

Et après, je dois faire le ménage de ma
chambre. C'est que mes grands-parents viennent
souper et la maison doit être en parfait état. Papa
nous l'a demandé (exigé). C'était écrit dans la carte
qui accompagnait nos chocolats…

On pouvait les avoir à la condition de ramasser tout ce qu'on avait laissé traîner. Bref, j'ai du
pain sur la planche, car je me suis un peu laissée

aller dans les dernières semaines. (OK, je l'avoue, c'est SOUVENT en désordre dans ma chambre…)

Mais je me fais confiance : en deux heures, je devrais avoir tout rangé. C'est facile, il y a surtout des vêtements éparpillés.

On parie ? D'accord, démarre le chrono, je m'y mets immédiatement !

~ 12 h 03 ~

Non, je n'ai pas fini… Mais ce n'est pas ma faute ! Papa m'a demandé de faire du lavage et ça m'a retardée. Ensuite, c'est Anto qui avait besoin d'un coup de main pour repasser une de ses chemises. (Il est nul en repassage et je suis carrément une experte de la chose !) Après ça, j'ai fait une petite pause pour préparer à tout le monde de bons chocolats chauds à la guimauve. Et une collation. (Pour une des rares fois, j'ai préféré déguster mes chocolats fraîchement reçus plutôt que de la barbe à papa…)

Donc, si je résume : je n'ai pas encore commencé le ménage de ma chambre. Mais je m'y mets. Là, là ! Pas de panique ! Regarde-moi bien aller, je vais faire ça en moins de temps qu'il n'en faut pour boire une sloche à la framboise bleue !!

~ 14 h 17 ~

Mira est revenue plus tôt que prévu et ses parents et elle vont se joindre à nous pour le souper. C'est génial! Je préfère quand ma cousine est là, parce que sérieux, être la seule fille devant grand-maman Madeleine, ce n'est pas du gâteau! Elle est toujours sur mon dos. Surtout depuis que je suis une ado! Je l'entends déjà me dire :

- **TIENS-TOI DROITE.**

- **RENTRE LE VENTRE.**

- **MAIS NE SORS PAS LES SEINS, PAR EXEMPLE!**

- **NE DIS PAS DE GROS MOTS. (JE N'EN DIS MÊME PAS!)**

- **VA TE LAVER LES MAINS.**

- **ET LES ONGLES.**

- **MAIS POURQUOI TU TE RONGES LES ONGLES?**

- **METS DONC DU VERNIS, CE SERAIT SI JOLI...**

Je ne suis PLUS CAPABLE! Si Mira est là, au moins, on pourra s'épauler toutes les deux! D'un autre côté, j'ai remarqué que ma grand-mère avait une nette préférence pour ma cousine… Elle doit trouver que celle-ci est plus féminine et moi, davantage garçon manqué! Pfff… Je me fiche bien de ce qu'elle pense. Mon but dans la vie n'est pas de me trouver un mari à dix-huit ans, de lui faire douze enfants et de rester à la maison pour les élever!

Sérieux! Mère au foyer! Ça fait tellement vieux jeu! Moi, je ne serai jamais une mère au foyer! C'est mon mari qui va rester s'occuper de nos bébés. Je me demande si Florian sera d'accord. Pas que je veuille nécessairement en avoir avec lui, mais… Je pourrais lui poser la question. Attends, je vais l'appeler pour avoir son opinion.

~ 14 h 49 ~

Longue discussion au sujet des bébés avec Florian. Il dit qu'il les déteste, que ça braille tout le temps et que ça ne sert à rien, à part nous faire dépenser tout notre argent… Pas certaine d'être de son avis. Bref, mon chien est mort si je voulais qu'il soit un homme au foyer.

Je ne sais pas ce que Colin en pense. Il faut que je le texte pour lui poser la question!

Col ?

Toi, accepterais-tu d'être un homme au foyer ?

J'aime tellement ça quand tu me poses une question sans me donner le contexte, Dylane, cé fou !

Oups...

Cé grand-maman Madeleine qui veut que je reste à la maison pour élever mes enfants !

Ah, et tu en as combien, déjà, des enfants ?

Selon elle, une bonne douzaine !

Je vois. C'est tellement clair que je vais raccrocher.

Col !

Cé une urgence !

Toi pis tes urgences...

La dernière fois, cé pas
ton frère qui jouait au cheval
dans sa chambre ???

SVP!

Ne me rappelle pas cet épisode
traumatisant de ma vie !

Sérieux, cé oui ou non ?

(Soupir...)

Cé quoi, déjà, ta question ?

Resterais-tu à la maison
pour élever mes douze enfants
pendant que j'irais travailler
pour vous faire vivre ?

Dis comme ça, ça me tente,
c'est effrayant...

Je prends ça pour un non ?

Prends-le comme tu le veux.

Faut que je te laisse,
g du ménage à faire.

324

Bon, où j'en étais? Ah oui! IL FAUT QUE JE COMMENCE LE MÉNAGE DE MA CHAMBRE!!!

~ 22 h 16 ~

Ils sont tous partis, Mira y compris. Comme je le craignais, grand-maman Madeleine a été total odieuse! Elle n'arrêtait pas de me faire des commentaires désagréables sur ma façon de m'habiller (en pantalons de sport) et sur le fait que j'agis comme un garçon. Pourquoi une fille devrait agir d'une façon précise? Le pire, c'est que papa n'a pas pris ma défense une seule fois! OK, il n'était pas présent quand elle me faisait de telles remarques, mais ce n'est pas une raison! Dès que je lui rapportais ses paroles, il me disait que j'exagérais. Que grand-maman Madeleine m'aime beaucoup et qu'elle veut juste mon bien!

Cream puff... Il me semble qu'il y aurait de meilleures façons de le vouloir, « mon bien » ! D'abord, en ne disant pas devant tout le monde qu'elle ne m'a pas acheté de chocolat parce que j'ai quelques kilos en trop ! Elle pourrait, je ne sais pas, cesser de louanger Mirabelle chaque fois qu'elle ouvre la bouche ! Ma cousine est un ange descendu du ciel et moi, je suis un petit démon qui veut faire le mal ! Il a fallu que Laurie (oui, elle était là) s'en mêle pour que ça s'arrête enfin.

Ça devait faire cinq fois que grand-maman répétait que j'étais bien en chair. (Traduction : que je suis grosse !) Nous n'étions que les filles à laver la vaisselle (parce que ma grand-mère trouve que les gars ne devraient pas le faire, que c'est notre job !), dont Laurie, Léanne (la fille qui... bon... tu te souviens d'elle !), grand-maman, Mira et moi. Je te retranscris l'essentiel de notre conversation :

GRAND-MAMAN MADELEINE : Oh, Mira, tu as de si jolies mains. Tu as beaucoup de goût pour choisir un vernis à ongles.

MIRA : Merci, grand-maman. Je te le prêterai, si tu veux. J'en ai plusieurs pots...

GRAND-MAMAN MADELEINE: Mais non, ma belle, cette couleur ne m'irait pas bien du tout. Pas à mon âge, voyons!

MOI: Est-ce que tu me le prêterais, à moi? C'est vrai que c'est beau et...

GRAND-MAMAN MADELEINE: Pas sûre que ça t'irait très bien à toi non plus, tu sais. Tu as beaucoup trop de corne sur les mains. Ça doit être à force de jouer au tennis. Ce n'est pas un sport de filles, je le répète constamment à ton père et...

LAURIE: Dylane est une athlète. Je ne vois pas pourquoi elle devrait cesser de...

GRAND-MAMAN MADELEINE: Ça lui fait de gros mollets, ce qui n'est pas du tout féminin!

LAURIE: Elle a de belles jambes musclées. Personnellement, j'échangerais mes jambes contre les siennes n'importe quand!

Ma grand-mère a reniflé (ce qui est zéro féminin, en passant, mais je n'ai pas osé le lui dire…) et elle a recommencé à vanter les mérites de Mirabelle. Laurie m'a lancé un regard agacé et, sans même que je m'en aperçoive, je lui ai souri. Oui, un vrai sourire sincère! J'étais la première surprise de ma réaction.

Je m'en veux un peu pour ce que j'ai dit sur elle, auparavant. Sérieux, elle est cool, Laurie. Et je pense que j'aimerais ça qu'elle sorte encore long-temps avec mon père. Pour ce qui est de Léanne, par contre, je ne vois pas ce que mon frère Anto lui trouve! À part le fait qu'elle est belle quand elle est toute nue (je le sais, je l'ai vue!), elle n'a rien à dire de particulièrement intelligent et en plus, elle avait l'air de s'ennuyer solide avec nous, ce soir!

D'ailleurs, ça n'a pas été long qu'elle et mon frère ont disparu du salon. Ils ont dû aller s'enfer-mer dans la chambre d'Anto. Quand elle est fina-lement partie, j'ai remarqué qu'elle avait les joues rouges et les cheveux emmêlés. Je suis quasiment certaine qu'ils ont fait des trucs, tous les deux…

Mais ce n'est pas moi qui vais aller tout rap-porter à papa! Ah non! Je sais tenir ma langue! Oh que oui!

En même temps, je pense que papa devrait être mis au courant de ce qui se passe sous son toit, non ? Qu'est-ce que tu en penses, cher journal ? Je crois que je vais aller me coucher et réfléchir à ça.

Demain, je prendrai une décision à ce sujet...

~ 22 h 23 ~

Ah, et au sujet de mon ménage de chambre, avoue que tu ne pensais pas que je parviendrais à tout ranger, hein ? Oui, évidemment, j'ai dû cacher certaines piles de linge sous mon lit et je ne dois surtout pas ouvrir la porte de mon garde-robe, sous peine que ça m'explose en plein visage... Mais l'important, c'est que grand-maman Madeleine ne se soit rendu compte de rien !

Lundi 6 avril

~ 19 h 24 ~

Une autre journée de congé! Et en plus, Anna m'a appelée ce matin pour m'inviter chez elle. Ses parents et elle devaient aller visiter une ferme d'alpagas. Dit comme ça, ça peut paraître étrange, je sais… Mais c'est parce qu'Annabelle porte beaucoup de vêtements faits à partir de la laine de cet animal et à chaque printemps, toute sa famille se rend dans cette ferme pour acheter ce dont elle a besoin. Et ce n'est pas si loin! (OK, c'est quand même à deux heures de route…)

Je sens que tu te demandes ce que c'est exactement, un alpaga, hein? Je vais donc devoir faire ma savante et te l'expliquer… J'adore donner l'impression que je suis ultra brillante.

Bon, je t'explique: un alpaga est un animal qui ressemble à un lama. Tu sais, celui qui crache si tu t'approches trop près? Qui a d'énormes dents un peu croches? Et qui a de la laine, comme un mouton? Ben voilà, tu y es! Bref, dans cette ferme, il y avait une visite guidée (j'étais la seule à vouloir la faire), une petite aire de jeux (encore une fois, j'étais toute seule à avoir envie d'aller me balancer

et glisser…) et une boutique de cadeaux (moyennement intéressante…). Désolée, mais ce n'est pas trop mon genre de porter des bas aussi chauds et des tuques brunes ou beiges…

Mais en gros, ce fut une journée vraiment amusante. Anna m'a bien fait rire avec son imitation du lama qui mange. Elle était en super forme et elle riait de tout et de rien. C'était génial de la voir comme ça. On a fait un pique-nique (bouffe végé = toujours aussi ouache !) à l'extérieur, car la température était parfaite pour ça et il n'y avait pas trop de neige.

Une minute, ça cogne à ma porte…

~ 19 h 29 ~

C'était Fred. Il voulait savoir d'où venait l'odeur… Il paraît que je sens le mouton. N'importe quoi !

~ 19 h 31 ~

Juste au cas, je vais quand même aller prendre une bonne douche…

Mercredi 8 avril

~ 7 h 05 ~

Je voulais t'écrire hier soir, mais je n'ai pas eu le temps, avec mon fichu comité « Fêtes » ! En plus, il a fallu qu'on fasse le récapitulatif de notre journée du poisson d'avril de la semaine dernière, pour voir si tout avait bien fonctionné comme prévu. Bref, que du blabla et d'un ennui mortel !

Ensuite, ils ont enchaîné sur la prochaine fête que nous devions organiser : le carnaval du printemps. Ça pourrait être intéressant, si je ne devais pas ENCORE UNE FOIS me taper un travail de bricolage ! C'est-à-dire que c'est sur moi qu'est retombée la tâche de fabriquer une pinata. (Parce que la fête sera sous le thème du Mexique. Quel est le rapport ? Je n'en sais rien…) Mais puisque la fête aura lieu en mai, j'ai encore un peu de temps pour trouver des modèles.

Sérieux, comment ils veulent que je fabrique ça ? Je suis nulle en bricolage et en plus, je déteste ça ! Sauf que je devais être dans la lune au moment de l'attribution des tâches, car je n'ai su ce que je devais faire qu'en sortant du local ! *Cream puff!* La prochaine fois, je vais essayer de rester attentive. (Ce qui sera plutôt difficile, j'en conviens…)

Bref, ce soir, promis, je me reprends et je te raconte LA dernière nouvelle complètement malade… Je suis une fille ultra gentille, alors je te donne un indice: ça concerne Annabelle! (Et je ne comprends toujours pas POURQUOI elle ne m'en a pas parlé avant!)

~ 16 h 18 ~

Bon, enfin à la maison et prête à tout te dire…

Imagine-toi donc que cette chère Annabelle a un *chum*! Rien de moins! Et pas n'importe qui… Oui, tu dois te douter de qui il s'agit: Malik! Ils sortent officiellement ensemble depuis vendredi dernier. Premièrement, j'aurais VRAIMENT AIMÉ qu'elle m'en informe AVANT! Elle aurait amplement eu le temps de le faire quand nous sommes allées à sa ferme d'alpagas! C'est vrai qu'elle avait l'air d'une fille un peu trop heureuse pour que ce soit normal, aussi… J'aurais dû me douter! Plus moyen de faire confiance à qui que ce soit, de nos jours!

Mais bon, ça ne me dérange pas vraiment. Malik, c'est troooop de l'histoire ancienne! Sauf que ça demeure mon ex et l'ex d'une amie, il faut traiter ça avec des pincettes. C'est-à-dire qu'il

faut TOUT dire à cette amie, justement! Ne pas lui cacher d'infos… et surtout, NE PAS ALLER VOIR LE SPECTACLE DE MARTIN MATTE DANS SON DOS!!!

Parce que c'est ÇA qui me fait le plus suer, je pense! Pour te rafraîchir la mémoire, cher journal, sache que c'est à MOI que Malik avait donné des billets pour ce spectacle, à Noël dernier. Sauf que c'est vrai, j'avais oublié et je n'avais pas prêté attention à la date. Je me disais que Malik communiquerait avec moi pour y aller en temps et lieu. Même s'il était en colère contre moi… À la place, il a fait réimprimer les billets et il a invité Annabelle! Rien de moins!

En plus, il paraît qu'il était super bon, le spectacle! *Cream puff!* C'était MON cadeau de Noël.

Et j'ai appris tout cela seulement hier. Quand Malik est venu nous rejoindre à la cafétéria. Il a déposé sa boîte à lunch sur la table comme si de rien n'était et il s'est assis à côté d'Anna. Je lui ai demandé pourquoi il s'installait là et Anna et lui ont pouffé de rire. OUI! ILS ONT POUFFÉ DE RIRE! Je me sentais comme une belle dinde qui ne pige pas ce qui se passe!

Finalement, Anna m'a expliqué qu'ils étaient ensemble. Malik m'a demandé si ça me mettait mal à l'aise qu'il mange avec nous. J'ai secoué la tête sans trop réfléchir, mais en fait, ça me dérangeait un peu. Surtout que Malik passait son temps à dire des trucs dans l'oreille d'Anna, qui rigolait pour rien. Je me sentais total de trop! Genre la troisième roue du carrosse! (À moins qu'on dise la cinquième roue…?)

Après le dîner, j'ai dû assister au baiser mouillé entre les deux (OUACHE!) et il est enfin parti. Là, j'ai exigé qu'Anna me dise comment une telle situation avait pu se produire sans que je m'en rende compte. J'ai alors su pour le spectacle (grrr…) et pour la façon dont il l'avait invitée (à ma place!).

Elle trouvait ça romantique, mais, selon moi, c'était juste un peu niaiseux. Je te laisse en juger… Malik lui a envoyé un petit message en boule, dans le cours de géo qu'ils ont en commun (un message en papier… zéro années 2000!). Sur le papier, il était écrit:

Qtf 2main soir?

D'abord, c'était absolument illisible, son message ! Et ensuite, qu'est-ce que c'est que ça, inviter une fille la veille ?! Il aurait pu s'y prendre plusieurs jours à l'avance, il me semble. Perso, je trouve que ça fait un peu bouche-trou !

Je ne suis pas très charitable, hein ? C'est parce que toute cette histoire m'énerve au plus haut point ! Une amie ne devrait jamais sortir avec ton ex-*chum*. Ça ne se fait pas. C'est dans les règles non écrites de l'amitié…

Mais étant total mollassonne et pas du tout rancunière, je vais passer l'éponge. Mon amitié avec Anna est plus importante qu'un ex-*chum*. Et qu'un spectacle de Martin Matte…

~ 19 h 23 ~

Colin était crampé. Je viens de lui raconter toute l'histoire et la seule chose qu'il a trouvé à faire, c'est rire de moi ! Il dit que, de toute manière, je n'aurais pas pu aller voir le spectacle avec Malik. Que ça ne se fait pas. Surtout que je sors avec Florian et que celui-ci aurait sûrement refusé que je passe la soirée avec mon ex. Je n'avais même pas pensé à ça. Je me sens coupable, soudainement. Comme si ma relation avec Florian n'avait aucune importance.

Il faudrait que je lui parle plus souvent, aussi. En ce moment, j'ai l'impression qu'il ne fait même pas partie de ma vie, tellement on se voit peu !

C'est trop déprimant. J'ai besoin d'une bonne dose de sucre. Je te laisse là-dessus, cher journal, car j'ai des tas de devoirs que je n'ai même pas encore commencés...

Vendredi 10 avril

~ 16 h 23 ~

On dirait bien que je vais devoir me taper mon ex tous les dîners ! Il était là mardi, mercredi, jeudi et même aujourd'hui ! Quand il a pris place devant moi (collé contre Anna), je lui ai fait des gros yeux, mais il ne s'en est même pas rendu compte. Il était bien trop occupé à faire des mamours à mon amie ! *Cream puff* ! Une chance que Mira était là, ce midi, parce que je me serais sentie total de trop !

Ma cousine a d'ailleurs fait la grimace devant le couple de pots de colle et elle a soupiré très fort pour ramener les deux autres sur terre. Sérieux, Anna, quand elle est en amour, elle n'est plus la même. Finis ses trips de tofu. En fait, elle ne mange quasiment plus, car elle passe son temps à embrasser Malik. Et elle a commencé à se raser. (J'ai vu ses jambes, dans le vestiaire !) Elle ne se maquille évidemment pas (à cause de ses allergies), mais elle choisit des vêtements qui la mettent un peu plus en valeur.

Oui, elle est jolie et c'est le *fun* de savoir qu'elle est heureuse, mais je trouve quand même qu'elle exagère ! Est-ce qu'elle a besoin de s'afficher autant ? Moi, quand je sortais avec Malik,

je ne passais pas mon dîner à lui lécher les amyg-
dales !

Même Mira regarde Anna d'un autre œil,
depuis que celle-ci a un *chum*. On dirait qu'elle
commence à l'accepter dans notre gang. Il faut
dire que ma cousine a recommencé à regarder les
prospects autour d'elle. Oui, Mira est de retour sur
le marché de la séduction. Elle a mis derrière elle
toute cette histoire de cyberintimidation. (J'espère
quand même qu'elle en a tiré une leçon, comme
celle de ne JAMAIS envoyer de photos d'elle complètement nue à qui que ce soit !!!)

Bref, même si je suis en couple, moi aussi,
je me sens plus seule que jamais…

C'est bizarre, tu ne crois pas ? Je vais appeler Colin pour savoir ce qu'il fait ce soir. Lui, au
moins, je sais qu'il sera toujours là pour moi…

~ 16 h 36 ~

COLIN PASSE LA SOIRÉE AVEC JUSTINE
LAGACÉ ! Sans blague ! Il vient de me dire qu'il
ne peut pas venir écouter un film chez moi, car
Justine l'a invité à aller au cinéma avec elle. Juste
tous les deux ! En amis. Mon œil !

C'est clair qu'elle s'attend à ce qu'ils sortent
ensemble…

~ 16 h 37 ~

Justine Lagacé, je ne suis juste plus capable de la sentir!!!

Dimanche 12 avril

~ 18 h 53 ~

Fin de semaine ultra poche. Je n'ai carrément RIEN fait. RIEN DE RIEN ! Je ne me suis même pas lavé les cheveux, c'est tout dire ! Colin ne m'a pas donné de nouvelles depuis sa soirée cinéma, mon père a passé son temps chez sa blonde (je savais qu'il délaisserait ses enfants dès qu'il aurait une autre femme dans sa vie, lui !) et Anna a répondu à mon dernier courriel, mais de peine et de misère… Je te le recopie ici, tu vas voir…

À : Annagrano@mail.com
De : Dydy2000@mail.com
Date : Samedi 11 avril, 10 h 42
Objet : Qu'est-ce que tu fais ?

Salut !

J'ai essayé de t'appeler tout à l'heure, mais ça ne répondait pas. As-tu quelque chose de prévu ?

On pourrait se voir ? Appelle-moi quand tu liras mon message.

Dylane

À : Dydy2000@mail.com
De : Annagrano@mail.com
Date : Samedi 11 avril, 20 h 57
Objet : RE : Qu'est-ce que tu fais ?

· ·

Désolée, je n'ai ouvert mon ordi que tard ce soir. C'est parce que Malik est venu passer la journée chez moi... Je l'aime teeeellement, si tu savais ! C'est un amour ! J'espère que ça ne te dérange pas trop, que je te parle de lui ? C'est qu'il est trop parfait.

On s'appelle demain ?

Anna

XXX

Je m'attendais à ce qu'Anna me téléphone aujourd'hui (dimanche), mais non. J'ai attendu pendant des heures comme une dinde devant mon cellulaire… Il n'a pas vibré. Ni sonné. Ni fait la moindre simagrée. J'aurais pu aller faire autre chose plutôt que le fixer sans arrêt, mais au fond je n'étais pas d'humeur à voir qui que ce soit.

Fred a dû s'en rendre compte, en revenant de travailler, car il est entré dans ma chambre et est venu s'asseoir sur mon lit. Moi, j'étais installée en Indien et j'avais posé mon cell juste devant moi. Le menton accoté sur mes mains, je soupirais à fendre l'âme. Alors il m'a demandé ce qui n'allait pas. Et j'ai tout laissé sortir. Tout ce qui ne va pas, depuis un certain temps.

✱ Ma relation avec Florian: le fait qu'il a été si désagréable lors de ma visite à New York. Sa façon de me parler. De ne jamais être là quand j'ai besoin de lui. De me faire passer en dernier.

✱ Le couple Anna et Malik: il a beau ne plus être mon **chum**, ça me fait un petit quelque chose de voir qu'il est beaucoup plus heureux avec

Anna qu'il ne l'a été avec moi. En plus, j'ai l'impression qu'il me vole mon amie... C'est stupide, je sais.

✳ Colin et Justine Lagacé ! Et leur sortie au cinéma ! Et le fait qu'elle lui court après. Sans oublier LA photo que j'ai vue sur sa page Facebook !

✳ Papa qui passe son temps chez Laurie (même si je l'aime bien...) : n'empêche que papa n'est jamais là !

✳ Anto et la fois où je l'ai surpris avec une fille, dans sa chambre, en train de jouer à ti-galop...

✳ Mon travail de français avec Ariane que j'ai coulé...

✳ Et je me sens déprimée. Sans énergie. Même au tennis, je manque de souffle. Comme si j'en avais trop sur les épaules.

Peut-être que ce sont mes hormones d'ado qui me jouent des tours. Qui m'en font voir de toutes les couleurs. J'ai hâte d'en avoir fini avec elles, en tout cas! Même si je me souviens très bien d'avoir entendu ma mère dire qu'elle avait souvent des baisses ou des hausses d'hormones durant le mois. Ce qui signifie que je vais être coincée avec ça toute ma vie! *Cream puff!* C'est tellement plus facile d'être un gars!

Quand j'ai eu fini de déballer mon sac, Fred a pris une grande inspiration avant de me prendre dans ses bras. J'ai pleuré un peu. Je me sentais encore plus moche de brailler comme un bébé, mais quand je me suis calmée, Fred a dit que c'était normal à mon âge d'avoir des hauts et des bas. Et même de pleurer sans raison, parfois. Ça m'a fait du bien de tout lui dire, parce qu'après on a rigolé un peu et la boule que j'avais au fond de la gorge me semblait moins lourde.

Mais Fred a voulu revenir sur ma relation avec Florian. Il a dit qu'il en avait déjà parlé avec Sébas et que tous les deux, ils croient que ce n'est peut-être pas le bon gars pour moi. Et ce que je venais de lui raconter ne faisait que renforcer cette impression. Je ne savais pas quoi répondre, alors je suis restée silencieuse. Je n'étais pas en accord

avec lui, mais je n'osais pas le lui dire, parce que je venais juste de parler contre Florian. C'était donc un peu difficile de dire à quel point c'est un *chum* merveilleux !

Surtout que je suis de moins en moins certaine qu'il le soit…

Lundi 13 avril

~ 16 h 12 ~

J'ai max vingt minutes pour écrire. Je voulais juste te dire qu'à la fin du mois, c'est l'anniversaire d'Anna. Elle m'a invitée (évidemment!). Elle a aussi invité Malik à venir souper chez elle. Et Mira, si elle le veut, mais je doute que ma cousine dise oui. Il y aura des gens de sa famille et des amis de ses parents. Bref, il y aura un tas de monde.

Donc, je dois trouver le cadeau parfait pour mon amie. Je ne sais pas encore ce que je vais lui offrir… Qu'est-ce qui ferait plaisir à une fille qui ne porte pas de maquillage, de vêtements griffés, qui mange végé et qui est allergique à des tas de choses ?!

Aucune idée…

Mais je vais trouver! Parole de Dylane!!

Mardi 14 avril

~ 7 h 03 ~

J'ai eu une excellente idée, hier soir ! Je vais lui fabriquer moi-même un cadeau ! J'ai fait des recherches sur Internet à mon retour de mon entraînement et je suis tombée sur un modèle de bracelet en paracorde. Ça ne semble pas trop dur à faire et je pourrai m'y mettre dès ce soir, après ma réunion du comité « Fêtes ».

Il faut juste que je passe au centre d'achats en revenant à la maison. J'ai déjà hâte de le fabriquer !

~ 20 h 57 ~

Bon, c'est plus compliqué qu'il n'y paraît, mais je ne vais pas abandonner pour autant. Il faut qu'Anna sente que j'ai vraiment fait des efforts pour elle. Elle aura quinze ans, samedi, et je veux célébrer cela en grand !

Il y a vingt étapes, alors je vais me concentrer, si je ne veux pas tout rater.

~ 21 h 48 ~

Cream puff! Je n'y arriverai jamais! Je suis nulle, aussi, pour faire quelque chose avec mes mains. Je n'ai aucun talent! Sauf pour faire de la bouffe… Alors là, je suis plutôt douée!

Mon bracelet ressemble davantage à un énorme nœud de fils emmêlés qu'à un bijou! Bon, je me donne une dernière chance, sinon je vais tout lancer au bout de mes bras!

~ 22 h 01 ~

Rien à faire! Je n'y arriverai jamais! J'ai fait une énorme boule avec la corde et je l'ai mise dans la poubelle!

~ 22 h 03 ~

Sauf que je vais devoir trouver une autre idée de cadeau…

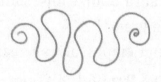

Jeudi 16 avril

~ 16 h 23 ~

Je n'ai toujours pas d'idée, mais il fallait trooooop que je te raconte ce qu'Anna m'a dit aujourd'hui. On a dîné juste elle et moi (pour une fois!), car Malik jouait au hockey cosom ce midi, dans le gymnase. J'étais vraiment contente de savoir que je n'aurais pas à partager mon amie durant une bonne heure, parce que Mira non plus n'était pas là. Elle devait faire du rattrapage d'anglais avec le prof.

Donc, on en a profité pour aller manger dehors. Il fait de plus en plus beau et la neige a complètement fondu. Et c'est là qu'Annabelle m'a parlé de son week-end avec Malik. Sérieux, je m'attendais à tout, mais pas à ÇA!

En gros, Malik et elle étaient seuls samedi soir, car les parents d'Anna étaient sortis en amoureux. Mon amie et mon ex ont donc décidé de se louer un film et de l'écouter dans le salon. Mais au lieu de regarder le film, ils ont passé leur temps à s'embrasser et à... Malik était pas mal moins dégourdi avec moi, en tout cas!

Non, ils n'ont pas fait l'amour, mais ça n'a pas été long qu'Anna n'avait plus de chandail… Ils se sont un peu caressés en surface (par-dessus leurs vêtements), mais Anna a quand même touché à son… à… Ben, à ce que Malik a entre les deux jambes, quoi! Quand elle m'a raconté ça, je devais avoir l'air d'une folle, car j'avais les yeux exorbités et j'en ai même oublié d'avaler ma salive.

C'est d'ailleurs pour cette raison que je me suis étouffée et qu'Anna a arrêté de parler. Et comme la cloche a sonné au loin, il a fallu ramasser nos affaires pour revenir vers l'école en courant. Je n'avais pas vraiment le goût de retourner en classe, mais je n'avais pas le choix. C'est que toute cette histoire me rend beaucoup trop curieuse! Il faut qu'Anna me raconte le reste.

D'ailleurs, je vais l'appeler immédiatement pour en savoir davantage!

~ 16 h 35 ~

La ligne chez Anna est occupée. Comme je la connais, elle doit être en train de parler avec Malik. Dire qu'il y a seulement une semaine, je n'aurais jamais cru que ces deux-là formeraient un couple!

J'ai encore de la difficulté à en revenir…

Oh, attends, c'est mon cellulaire qui vibre! C'est peut-être Anna qui veut finir son récit!

~ 19 h 59 ~

Ce n'était pas Anna, mais Mira. Elle a un nouveau *kick*. (Étonnant…) Je me disais, aussi, qu'elle ne tarderait pas à retrouver l'amour de sa vie très rapidement! Cette fois, elle a jeté son dévolu sur un gars dans le cours de rattrapage. Il s'appelle Nico et il est en quatrième secondaire. Ils ne se sont pas encore parlé, mais il est suuuuper beau, selon Mira.

En gros, il ne sait même pas qu'elle existe… Elle se cherche une raison pour aller l'aborder. Et elle voulait avoir mon avis. Venant d'elle, je vais le prendre comme un compliment, car je ne suis pas celle à qui elle demande des conseils, d'habitude. Bon, elle ne m'a pas réellement demandé mon avis… En fait, elle voulait que j'en parle avec Annabelle pour savoir ce qu'elle, elle en pensait!

Cream puff! Anna est devenue une référence en matière amoureuse! C'est vraiment le monde à l'envers!

Samedi 18 avril

~ 14 h 26 ~

Je viens d'avoir une autre idée pour fabriquer un cadeau génial. Je suis certaine qu'Anna va adorer ! Si je parviens à le réussir, cette fois…

Il s'agit d'un gommage au sucre. Moi qui tripe sur tout ce qui est sucré, c'est juste parfait ! Ça fait un lien entre nous deux, n'est-ce pas ? Donc, comme je le disais, c'est un gommage super mignon de toutes les couleurs. En plus, sur le site Internet où j'ai trouvé la recette, il y a une petite vidéo qui va m'aider à le fabriquer. Je ne peux juste PAS le rater ! Sinon, c'est que je suis trop nulle !

Bon, je m'y mets tout de suite et te reviens avec le résultat…

~ 14 h 28 ~

OK, ça commence mal… Je n'ai pas d'huile de noix de coco. À la place, je vais prendre de l'huile d'olive. C'est super bon pour la santé, en plus, l'huile d'olive, tout le monde le dit !

~ 14 h 31 ~

Cream puff… qu'est-ce que c'est que ça, de l'huile de jojoba ??? Ça vient d'où, d'abord, le

jojoba? Ça rime avec canola, alors tant pis, je vais le remplacer par cette sorte d'huile. C'est donc bien compliqué, cette recette!

~ 14 h 32 ~

Maintenant, c'est facile, je dois juste mélanger le sucre et les huiles. C'est un peu dégueu et ça sent bizarre, mais ça va...

~ 14 h 35 ~

Oh non! Je n'ai plus d'huile essentielle! (La dernière bouteille a fini dans mon bain, après mon rasage douloureux...) À la place, je pourrais mettre du parfum, j'imagine... Ouais, sauf que le seul parfum qu'il y a dans cette maison, c'est celui de papa. Je ne suis pas pour le prendre. Ça va sentir l'homme! Ouache! Dans ce cas, je n'en mettrai pas.

~ 14 h 36 ~

À moins que je mette du pouish-pouish qu'on met dans les toilettes quand ça ne sent pas bon?! Oh oui! Quelle bonne idée!!!

~ 14 h 38 ~

Ça devient de plus en plus facile. Il ne reste que le colorant à ajouter... Je vais en prendre du

rouge. Et ensuite, je mets le tout dans un petit bocal. Facile !

~ 14 h 42 ~

Je suis géniale ! Il faut dire que ce n'était pas compliqué du tout. J'espère qu'Anna sera contente. Je ne sais pas trop comment elle va l'appliquer sur son visage, mais j'imagine qu'elle va le savoir. Au pire, elle demandera à sa mère. Je suis tellement fière de moi que je vais aller montrer le résultat de mon travail à mes frères !

~ 15 h 03 ~

Ils sont trop poches ! Anto s'en fiche, Fred n'est pas là parce qu'il travaille, Sébas m'a fermé la porte de sa chambre au nez et papa est dans la salle de bain depuis genre UNE heure ! Pas le goût d'attendre qu'il en sorte. Je vais appeler Florian sur Skype. En plus, ça fait longtemps que je ne lui ai pas parlé, à lui.

Je vais pouvoir montrer ma recette à ma mère. Je suis certaine qu'elle va être impressionnée !

~ 16 h 44 ~

Je... je ne me sens pas très bien... Je vais aller me rouler en boule dans mon lit et y rester

pendant des heures, je crois. Parce que… ben…
Attends, je me mouche.

~ 16 h 46 ~

Alors voilà… Je suis célibataire à nouveau !
Florian et moi, c'est terminé… Je vais me calmer
un peu avant de tout te raconter. Car si j'écris en ce
moment, je sens que ça va sortir n'importe comment. Il vaut mieux que je prenne un peu de recul.

Dimanche 19 avril

~ 11 h 09 ~

J'ai passé la nuit à tourner dans mon lit. Mais je m'excuse, cher journal, je n'avais pas la tête à écrire. Je me suis plutôt gavée de sucre une partie de la soirée. (Comme dans les comédies romantiques, tu vois.) Pour être franche, je pense que je ne suis pas réellement en peine d'amour. Surtout si on considère le fait que c'est moi qui ai laissé Florian…

Ouais, je sens que je te dois des explications.

Donc, je me lance: hier, quand j'ai joint Florian, il était en train de faire des devoirs et il était installé dans le salon. On a jasé un certain temps, mais j'ai bien vu qu'il n'était pas super intéressé par ce que je lui racontais. Ça ne me dérangeait pas trop, car je comprenais qu'il soit occupé, mais je voulais vraiment son opinion. Il a soupiré en voyant que je n'avais pas fini de parler, et il s'est levé avec le portable pour aller dans la cuisine. Là, il s'est préparé une collation et il m'écoutait (un peu), tout en sortant des trucs des armoires.

Et c'est là que tout a dérapé…

Il s'est fait des beurrées au beurre d'arachides et il a pris son assiette pour retourner avec le portable dans le salon. Tu as vu, hein ? Tu as remarqué

ce qu'il a fait, n'est-ce pas? Il n'a même pas pris la peine de ranger le pot dans le garde-manger! Et le pire… IL A LAISSÉ LES PORTES DE L'AR-MOIRE OUVERTES!!! OUI!!! OUVERTES!!!!!!!

Il est comme mes frères et mon père! Je ne peux pas croire que je n'avais pas remarqué ça, avant! Là, je me suis exclamée très fort. Tellement, en fait, qu'il en a échappé ses beurrées, d'ailleurs. Il était un peu fâché et il voulait savoir pourquoi je venais de crier, alors j'ai répliqué qu'il était hors de question que je sorte avec un gars qui LAIS-SAIT SES PORTES D'ARMOIRE OUVERTES!!! IM-POS-SI-BLE!!!

C'est trop me demander! Voyons donc!! Je n'en reviens pas encore…

J'étais quasiment hystérique et ma mère est arrivée sur ces entrefaites. Elle m'a demandé de me calmer et de lui expliquer pourquoi je criais. Florian ne disait rien et secouait la tête, comme s'il était dépassé par les événements.

Ma mère lui a demandé d'aller dans sa chambre le temps qu'on discute, elle et moi. Elle m'a dit que j'en faisais un peu trop et que mes hormones d'adolescente n'étaient pas une raison pour expliquer tous mes comportements excessifs. (Oui, c'est ce que je lui ai rétorqué, mais je trouvais que c'était quand même une bonne raison, moi…)

Après une bonne dizaine de minutes, j'ai fini par respirer par le nez et accepter le fait que Florian et moi, on est trop différents pour être ensemble. Et on habite tellement loin que j'ai l'impression de ne pas le connaître réellement. (Comme pour cette histoire de portes d'armoire…)

J'ai raccroché en étant un peu plus calme, mais toute cette histoire m'a quand même fortement ébranlée. C'est pourquoi je ne me sentais pas prête à t'écrire hier… Je ne l'ai même pas encore dit à mon père et à mes frères. Ni à Mira, Anna ou… Colin. De toute manière, Anna n'est plus disponible la fin de semaine depuis qu'elle sort avec Malik. Mais je pense que je vais appeler Mira.

Ça va me faire du bien de passer du temps avec elle. Surtout que nous sommes toutes les deux célibataires, désormais…

~ 11 h 26 ~

Mon karma est pourri! Vraiment pourri! Sérieux! Je ne vois pas comment dire les choses autrement! Mirabelle sort avec le gars (Nico) de son cours de rattrapage. Elle est allée le voir vendredi après les cours et elle l'a invité au parc aujourd'hui. Et il a dit oui! C'est clair qu'elle va sortir avec lui avant la fin de la journée!!!

Et moi, je vais être la SEULE célibataire!!!

~ 12 h 49 ~

Colin vient de m'appeler pour savoir si j'étais libre pour aller promener son chien avec lui. J'ai dit oui, puisque je ne peux pas être plus libre, je pense…

~ 17 h 03 ~

Colin a ri de moi… Pas à cause de mon célibat (je ne lui ai pas dit…), mais parce qu'il dit que mon cadeau pour Anna est bon pour les poubelles. Il dit que le but de ce genre de gommage, c'est de ne pas mettre de produit toxique alors que moi, je n'ai pas utilisé les bons ingrédients. C'est surtout mon pouish-pouish qui cause problème, je pense…

Ce qui fait que j'ai été obligée de le jeter. Encore une fois! *Cream puff!* C'est donc bien compliqué de lui faire un cadeau, à Anna! Je n'y arriverai jamais…

Je dois continuer mes recherches pour trouver l'idée du siècle. Il me reste encore une semaine. Son party aura lieu samedi prochain. J'ai assez perdu de temps. Allez hop! Même si je n'ai pas la tête à ça, il faut que je trouve quelque chose qui lui fera plaisir.

Mais avant, je vais aller aider papa à préparer le souper. Ça creuse l'appétit de promener un chien !

~ 18 h 36 ~

Je viens de voir qu'il existe des maquillages sans cire d'abeille. Donc, c'est mieux pour Anna. Mais je ne suis pas certaine qu'elle accepterait de le porter quand même… Je suis aussi tombée sur des savons et des shampoings bios, mais j'aurais peur qu'elle croit que je trouve qu'elle pue.

Non, ça ne va pas du tout ! Je ne sais pas quoi faire !! Anna est super importante pour moi. Il FAUT que je lui donne quelque chose !!!

~ 18 h 49 ~

JE L'AI !!! Je vais lui faire une bouillotte ! Bon, dit comme ça, c'est un peu bizarre, mais je pourrais la fabriquer moi-même avec des noyaux de cerises ! Cool, hein ?

Si je lis les instructions…

• Je dois d'abord manger des tonnes de cerises. (Je ferais mieux d'avoir faim !)

• Puis, il faut faire bouillir les noyaux. (Pas trop difficile.)

• Bien les laver. (Ça se met au lave-vaisselle, oui ou non ?)

• Les faire sécher. (J'espère que ce n'est pas trop long... Je n'ai qu'une semaine devant moi !)

• Cela étant fait, je dois mettre les noyaux dans un toutou, un bas ou un gant.

Mouais... Pas sûre... L'idée est drôle, mais je ne me vois pas lui donner un bas rempli de noyaux de cerises en lui disant que c'est une bouillotte ! Ça ferait un peu étrange. Surtout si j'utilise les bas de mes frères !

Cream puff! Si ça continue, je vais arriver chez elle les mains vides !

~ 19 h 06 ~

Fred dit que je ne peux pas manger des tonnes de cerises, parce que ça va me donner des maux de ventre. De toute façon, quand j'ai

demandé à papa d'acheter un kilo de cerises, il a répondu que c'était hors de question, car nous ne sommes pas en pleine saison des cerises. Ce qui veut dire que ça va lui coûter vraiment cher juste pour un petit sac de rien du tout.

J'étais un peu vexée, mais au fond, ça m'arrange, parce que je trouvais la recette plutôt longue à exécuter… Mais comme j'étais (et que je le suis encore) de mauvaise humeur à cause de mes idées qui ne fonctionnent jamais (et triste à cause de mon récent célibat), je lui ai balancé à la figure que je ne sortais plus avec Florian. Comme ça. Pas rapport.

Papa a hoché la tête, total inattentif à ce que je lui disais. Fred, pour sa part, a eu l'air content. Anto ne m'a même pas entendue, parce qu'il parlait au téléphone avec une certaine Audrey, et Sébas a fait une énorme baloune avec sa gomme et elle lui a éclaté en plein visage.

Bref, tout le monde s'en fiche et moi, je retourne dans ma chambre, toute seule…

Je m'étais habituée à être en couple et je sens que ce ne sera pas facile de m'adapter à la vie de célibataire. (Même si je n'ai été avec Florian que trois mois…)

~ 19 h 27 ~

Sébas est venu m'embêter au sujet de Florian et je l'ai remis à sa place vite fait. Facile, je n'ai eu qu'à mentionner que mon amie Anna sortait avec Malik… Visiblement, il a encore un *kick* sur elle. Tant pis pour lui! Je ne le laisserai pas rire de moi parce que je ne sors plus avec personne!

~ 19 h 29 ~

Papa dit que je ne dois pas faire exprès de causer de la peine à mes frères. Sébas est encore allé se plaindre! Il ne fait que ça, on dirait, rapporter mes propos! Et le pire, c'est que papa l'écoute à chaque fois!

~ 19 h 33 ~

Je viens de changer mon statut Facebook pour célibataire et j'ai eu une dizaine de J'aime. Pourquoi les gens cliquent-ils J'aime? Ce n'est pas cool, être célibataire! Oui, c'est moi qui ai pris cette décision, mais c'est dur pareil! Pour moi aussi! Je me demande comment va Florian… On ne s'est pas reparlé depuis notre rupture. Et comme lui n'a jamais indiqué qu'il était en couple avec moi, je ne peux pas aller voir si des gens ont cliqué J'aime sur sa page.

Plutôt pratique, Facebook, quand on y pense. Ça nous permet d'en savoir sur l'autre sans qu'il le sache.

Oh, Colin vient de m'écrire un texto !

> Hey ! Dyl, tu ne m'avais pas dit que c'était fini avec ton **chum**.

> Il t'a laissée ?

> Pkoi tu dis ça ?

> Cé moi qui ai cassé !

> Ah, scuse, je pensais que...

> Et tu vas bien ?

> Ouais, merci de le demander.

> J'aurais aimé que tu me le dises quand on s'est vus, tantôt...

> Je ne comprends pas que tu ne m'aies rien dit !

> Je me sentais mal d'en parler.

> Mais pas de l'afficher sur Facebook ?

Cé pas pareil.

Cé moins gênant, tsé !

Moins gênant ?

Tout le monde peut le voir, mais toi, tu trouves ça moins gênant...

Té bizarre, Dyl.

De toute façon, ça me regarde !

Toi pis tes cinquante amis, oui...

As-tu fini ?

Ben oui, je te niaise !

Bon, on fait koi, d'abord ?

De koi tu parles ?

Pour nous deux, je veux dire...

Je ne comprends toujours pas ta question...

Minute, je t'appelle, ça va être plus simple.

Euh... ma batterie de cell est morte !

Je m'en viens chez vous, d'abord.

C'est parce que... je suis super fatiguée.

Y a de l'école demain et je ne dois surtout pas manquer mon autobus !

Y est même pas vingt heures...

Pis peu importe l'excuse que tu vas me sortir, je m'en viens pareil.

Faut vraiment qu'on se parle en pleine face, je pense.

NON ! Attends !

...

Colin...

...

Colin ?

OMG!!! Comme si je ne savais pas ce qu'il s'en vient me demander!!! Je capote! Il va vouloir me redemander de sortir avec lui, c'est évident! Et je ne saurai pas quoi lui répondre!!!

Je... je vais commencer par aller me repeigner les cheveux! En plus, je porte déjà mon pyjama (le plus laid de toute ma garde-robe!!!) et je DOIS aller me changer! Je ne peux pas le recevoir dans cet état!

Vite, j'ai exactement cinq minutes pour me refaire une beauté!

~ 21 h 57 ~

Colin vient de partir...

Il... nous... je...

Désolée, je ne sais pas par où commencer. Et si je prenais le temps de décompresser, pour mieux te le raconter demain?

Ce ne serait pas très gentil, hein? Mais c'est parce que j'ai le goût de garder ce moment juste pour moi.

Promis, ce n'est que pour cette nuit. Dès demain, je te raconterai chaque détail... Sans en oublier un seul!

Mais pas maintenant.

Je pense que je vais faire de beaux rêves...

Lundi 20 avril

~ 7 h 16 ~

J'avais dit que je te dirais tout, mais je n'ai pas dit à quelle heure je le ferais! Hi! Hi! Pour vrai, je n'ai pas le temps de revenir sur ma soirée d'hier seulement en dix minutes. Donc, tu devras encore patienter…

~ 7 h 34 ~

Mais je peux quand même te dire que j'ai bien dormi.

Oh non! Papa me crie après et je ne veux ABSOLUMENT PAS être en retard à l'école aujourd'hui. Quelqu'un m'attend, tu comprends…

~ 16 h 19 ~

Entraînement ce soir. Je dois y aller. À mon retour, compte sur moi pour TOUT te révéler!

~ 19 h 37 ~

Je n'ai pas tellement de temps pour t'écrire, car Colin attend mon coup de fil, mais je peux tout de même commencer mon histoire… Chose promise, chose due.

Par où commencer? Ah oui, l'arrivée de Colin chez moi. Il est entré dans ma chambre le souffle court, les cheveux dans les airs d'avoir couru jusque chez moi sans s'arrêter. Moi, je venais à peine de sortir de la salle de bain et je n'avais même pas eu le temps de retirer mon pyjama pour enfiler des vêtements plus présentables. On peut donc dire que je n'étais pas à mon avantage…

Mais Colin s'en fichait, je crois, car il s'est avancé vers moi pour s'arrêter en plein centre de la pièce. Je me suis raclé la gorge et il a toussé un coup. Il a inspiré fortement, puis il s'est mis à regarder partout, sauf dans ma direction. J'ai commencé à m'impatienter. C'est pourquoi j'ai été un peu bête…

À ma décharge, je ne savais pas comment réagir et il faisait traîner ça en longueur! Tu vas pouvoir te faire une idée par toi-même, car je vais retranscrire notre conversation ici, juste pour toi :

Moi (particulièrement nerveuse): Bon, tu accouches ou quoi? Je peux savoir pourquoi tu arrives ici aussi essoufflé?

Colin (qui a aussitôt retrouvé son aplomb): Du calme, Dylane Morin!

Tu m'énerves aussi, à me regarder comme ça !

Moi (légèrement insultée) : Et je te regarde comment, au juste ? Je peux savoir ?

Colin : Comme si je te dérangeais !

Moi : Pfff... N'importe quoi ! C'est juste que... ben... il est tard et...

Colin (en s'approchant de moi) : Il n'est pas tard du tout. Tu as juste la trouille d'entendre ce que je suis venu te demander...

Moi (en reculant vers mon lit) : La trouille ?! Jamais de la vie ! Je n'ai peur de rien, moi ! Surtout pas de toi, Colin ! Franchement, tsss... **Cream puff ! Come on !** Ben là...

Colin (de plus en plus proche de moi) : Dans ce cas-là, pourquoi est-ce que tu commences à bégayer ? Et que tu te sauves de moi ?

Moi (les genoux collés contre mon matelas, ne pouvant plus faire un pas vers l'arrière): Je ne sais pas de quoi tu parles! Je ne bégaye pas! Et pourquoi je me sauverais?!

Colin (désormais à un pouce de moi): C'est justement ce que j'aimerais savoir, Dylane...

Moi (en levant le menton, pour le regarder dans les yeux): À quoi tu joues, Colin? Qu'est-ce que tu veux?

Il y a eu un petit silence pendant lequel il m'a regardée vraaaaiment intensément. Il passait de mes yeux à mes lèvres. C'était ultra intime, comme moment. Et ce qui devait arriver est... arrivé! Il a pris mon visage entre ses mains et il s'est penché pour poser ses lèvres en douceur sur les miennes.

Elles étaient chaudes. Sûrement parce qu'il venait de courir pour venir me rejoindre. Et douces. Sûrement parce que c'est le gars le plus *hot* que je connaisse... Il sentait bon. Sûrement parce que... OK, j'arrête. Il était juste parfait. Parce que

c'était Colin. Et Colin, il a toujours été parfait pour moi.

Bref, c'était… je suis encore sans mot. Juste à y repenser, j'ai des papillons dans le ventre. D'ailleurs, je dois l'appeler, ce cher Colin. Parce que je n'ai pas pu m'empêcher de penser à lui toute la journée. (On n'a pas eu le temps de se parler.) C'est à peine si on s'est croisés dans le corridor. Il m'a fait un clin d'œil, mais comme il y avait plein de monde autour de nous, on ne s'est pas embrassés. Ça m'aurait beaucoup trop gênée.

Alors voilà !

Je ne sais pas exactement où nous en sommes, lui et moi, ni si nous sortons ensemble ou pas, mais…

Colin, je pense que je l'aime…

Mercredi 22 avril

~ 16 h 16 ~

Fausse alerte. Mira ne sort pas avec son Nico. Pas encore, me répète-t-elle depuis le début de la semaine. Mais comme elle a été invitée pour l'anniversaire d'Anna, elle a décidé d'y aller et d'emmener son futur *chum* avec elle. Elle se cherche des raisons pour passer du temps avec lui!

J'imagine mal Mira chez Annabelle. Mais si elle dit qu'elle veut y aller, je sens qu'on va avoir du *fun* en masse! En plus, j'ai demandé à Colin de m'accompagner. Ah… Colin…

Trouves-tu que je sors trop vite avec lui, après ma rupture avec Florian? C'est Mira qui m'a fait ce commentaire, ce matin. Parce que oui, je n'ai pas eu le choix de lui dire qu'on sortait ensemble. (C'est d'ailleurs officiel, on est un couple!!!) Colin est venu me voir avant la cloche et il m'a donné un énorme bec (avec la langue…). Donc, je n'étais pas pour dire qu'on s'embrasse comme ça juste parce qu'on est amis, tsé… Il a fallu que je lâche le morceau!

Tu imagines un peu le portrait? Colin m'a embrassé le bout du nez et est parti en me faisant

379

un clin d'œil. Quand je me suis tournée vers ma cousine, elle avait la bouche qui pendait presque jusqu'à terre. J'étais un peu gênée, mais ça n'a pas duré longtemps, car elle s'est mise à me bombarder de questions.

« Ça fait combien de temps que ça dure lui et toi ? »

« As-tu trompé Florian ? »

« Moi, je n'ai jamais trouvé que Colin embrassait bien, toi ? »

« En tout cas, tu changes vite de *chum*, tu ne penses pas ? Tu aurais peut-être dû attendre un peu… »

« Et Florian, il en pense quoi que tu le laisses pour Colin ? »

Et ainsi de suite. Mais elle est dans les patates, Mira. Je n'ai pas laissé Florian pour Colin, mais plutôt à cause de cette histoire de portes d'armoire. D'ailleurs, avec le recul, je me rends bien compte que c'est un peu stupide comme raison… Pour être sincère, je devais sûrement être en train de me trouver une raison pour le laisser et c'est le premier truc qui m'est passé par la tête. N'empêche, je me sens mal pour lui. Je devrais lui dire que j'ai un nouveau *chum*, tu ne crois pas ?

~ 16 h 28 ~

Anto me conseille de ne rien dire à mon ex. (Et il parle d'expérience, au nombre d'ex qu'il a eu depuis un mois…)

~ 16 h 35 ~

Sébas pense la même chose qu'Anto. Surtout que lui, il ne portait pas Florian tellement dans son cœur, alors il est content que je ne sorte plus avec lui.

~ 16 h 47 ~

Fred croit plutôt que la sincérité, c'est super important. Et que je devrais le lui dire. Je ne sais plus quoi penser. Je vais aller demander son avis à papa…

~ 16 h 59 ~

Papa n'a pas le temps de répondre et il trouve que je pose trop de questions. En plus, il est de mauvaise humeur. Je ne sais pas ce qu'il a mangé aujourd'hui, mais il grogne depuis tout à l'heure dans son coin. Je préfère l'éviter quand il est dans cet état-là. De toute manière, je pense que je vais aller chez Colin.

Je m'ennuie déjà de lui… Je vais lui envoyer un texto pour savoir si je peux aller le rejoindre.

Col ?

Tu fais koi ?

Devoirs… J'en ai des tonnes ☹

Pour vrai ?

Ouais…

Et t'en as pour longtemps ?

Ben… je ne sais pas.

On travaille jusqu'au souper et après, je devrais être libre !

On ?

Té avec ki ?

Justine.

Tu me niaises ?

Pkoi tu dis ça ?

Non, on fait souvent nos devoirs ensemble.

Elle n'est même pas dans notre année !

Et alors ?

Cé une bolle en maths !

Moi aussi je suis bonne...

Ben, pas en maths, mais quand même.

On pourrait les faire ensemble, nos devoirs, tsé...

Es-tu jalouse, Dylane ?

Pfff! NON !

Attends, je t'appelle...

Pas la peine, je suis occupée.

On se parlera après le souper.

Mon... frère a besoin de... mon téléphone. OK, je te laisse !

Je viens de fermer mon cellulaire en vitesse. Pas question que je lui parle, je suis trop en colère! Justine Lagacé est présentement chez mon *chum*! Chez MON *chum*!!! Elle a du front, elle! Et Colin, il n'est pas gêné lui non plus! Comment il peut me faire un truc pareil!?

Je suis tellement fru que je pense que… je vais appeler Florian. Ça devrait mettre Colin dans le même état que moi. Et après, je me ferai un plaisir de lui dire que j'ai parlé avec mon ex…

Oui, bonne idée!

~ 17 h 56 ~

Fred m'a surprise en pleine conversation avec Florian. Il trouvait que j'avais fait le bon choix. Jusqu'à ce qu'il se rende compte que je n'ai rien dit du tout à Florian à propos de Colin et moi. Il m'a demandé pourquoi je l'avais appelé, alors, et je lui ai parlé de Justine Lagacé qui fait ses devoirs chez mon *chum*!

Alors, Fred a dit que ce n'était pas du tout une bonne idée de jouer à ce petit jeu. Colin ne fait pas exprès de me rendre jalouse. (Moi, jalouse? Pfff!) Il est sûrement juste ami avec cette fille. Mais moi, je ne suis pas dupe. Et je ne veux pas me faire jouer dans le dos!

~ 18 h 04 ~

Je me sens quand même un peu mal. Je n'aurais pas dû appeler Florian. Surtout que celui-ci m'a demandé si ma décision de le laisser était définitive. Je lui ai dit que je ne changerais pas d'idée. Alors il m'a répondu qu'il trouverait le moyen de me séduire de nouveau. Qu'il avait justement un plan qu'il lui tardait de mettre à exécution. Je ne sais pas ce qu'il voulait dire par là, mais je doute qu'il y parvienne.

Colin a beau se tenir avec cette Justine Lagacé, je ne l'en aime pas moins pour autant. (Colin, pas Justine !!!)

D'ailleurs, pourquoi ça lui prend autant de temps pour me téléphoner…?

~ 18 h 48 ~

Non mais quoi !? Il a l'intention de passer sa soirée avec cette fille ou quoi ?!

~ 19 h 47 ~

Oups, je viens de comprendre pourquoi je n'ai pas reçu les appels de Colin. J'avais fermé mon cellulaire… Je viens de le rouvrir et j'ai dix messages manqués. Je vais tout de suite appeler

Colin pour lui parler. Il doit se demander pourquoi je ne décroche jamais.

~ 20 h 13 ~

Il ne se posait pas de questions du tout,
puisqu'il était encore avec Justine ! Mais il a au
moins pris la peine de m'appeler pour me tenir au
courant. Wow… quelle gentillesse…

Jeudi 23 avril

~ 7 h 16 ~

Aujourd'hui, je n'ai pas le choix. Je dois trouver LE cadeau à offrir à Anna. Et j'ai abandonné l'idée de le fabriquer moi-même, car je suis nulle en bricolage, je m'en rends doublement compte.

Donc, après les cours, je vais aller faire un tour dans les boutiques. On verra ce que je pourrai dénicher pour elle…

~ 19 h 25 ~

J'AI TROUVÉ! D'abord, j'ai fait le tour de tous les magasins possibles et imaginables. Et au moment où j'allais abandonner, je suis tombée sur… UN VERNIS À ONGLE BIO! (Je ne savais même pas que ça existait…)

Il y en avait de toutes les teintes. Alors j'en ai pris plusieurs. Elle pourra choisir celui qu'elle préfère. Oui, c'est un peu comme du maquillage, mais en moins agressant, puisque ce n'est pas sur le visage qu'on doit l'appliquer. Et je suis certaine que ça lui fera de belles mains. Elle a de longs doigts avec de beaux ongles, Anna. Je suis sûre que ça va bien lui aller!

Je vais envoyer une photo des vernis à Mira.
Même elle, elle va triper, je le sais !

Samedi 25 avril

~ 16 h 29 ~

Je dois me préparer pour aller chez Anna ! On sera vraiment beaucoup à s'y rendre et je veux soigner mon apparence ! J'ai hâte de voir le visage de mon amie quand elle déballera mon cadeau !

Je te laisse, je dois aller prendre ma douche, choisir ma tenue, me maquiller (mais pas trop) et appeler Colin pour savoir comment il s'habille, lui !

~ 16 h 34 ~

Colin a prévu de porter des jeans et un t-shirt. Décontracté, quoi… Je lui ai dit que je pensais qu'il devrait faire un effort pour porter au moins une chemise et une cravate, mais tout ce qu'il a trouvé à répondre, c'est que je ne dois pas profiter de mon statut de blonde pour lui dire quoi mettre ou ne pas mettre !

Pfff… Total susceptible, le gars !

~ 16 h 36 ~

Il a quand même dit que j'étais sa blonde…

~ 17 h 41 ~

Je vais être en retard si je ne pars pas tout de suite ! Anna nous attend pour dix-huit heures et papa a accepté d'aller nous reconduire. (Il a dit qu'il n'avait rien de prévu, ce soir, alors il est libre de jouer au chauffeur.) Colin devrait arriver dans quelques minutes, ce qui me laisse le temps de vérifier une dernière fois mon reflet dans le miroir…

Souhaite-moi une bonne soirée, cher journal !

~ 22 h 03 ~

Soirée TROOOOP géniale ! C'était super ! Même la bouffe ! (OK, non, pas la bouffe, j'exagère…) Mais pour vrai, tout le monde s'est bien amusé, Mira avait emmené Nico et je l'ai trouvé sympathique, même s'il ne nous a pas vraiment parlé. Il passait son temps sur son cellulaire…

Colin et moi, on a dansé, ri, bu du thé vert avec des extraits de je ne sais trop quoi. C'était dégueu, mais tellement drôle de voir Colin tenter d'avaler ce mélange verdâtre !

Les parents d'Anna avaient organisé des jeux de groupe vraiment drôles. Mon amie a adoré son vernis (mais moins sa mère, je pense…) et elle a décidé de s'en mettre le soir même ! Même Malik

ne m'a pas posé problème. Sauf peut-être quand il a su que je sortais avec Colin. Là, il a eu un peu l'air bête, mais comme je ne l'ai pas revu de la soirée, ça n'a pas gâché la mienne.

Je ne comprends pas qu'il soit fru. Il sort bien avec Annabelle, lui!? Et il semble en total amour avec elle. (Si je me fie au nombre de becs qu'ils échangent à la minute, ces deux-là!) Je n'en ai pas reparlé avec Anna, car je ne voulais pas lui mettre des doutes dans la tête, mais je me demande si Malik l'aime vraiment... Ce serait trop moche qu'il fasse cela seulement pour me faire réagir.

D'un autre côté, ils vont très bien ensemble, je trouve! Et je suis sincère! Non, peut-être que c'est seulement parce qu'il venait de l'apprendre qu'il a réagi de la sorte. Moi non plus, je n'étais pas aux anges quand j'ai su qu'il avait invité Anna à aller voir Martin Matte. (C'était MES billets, en plus!)

Bref, je viens de revenir et j'ai l'estomac qui gargouille. Colin est resté avec moi et il est allé aux toilettes, c'est pourquoi je peux t'écrire, cher journal. Mais je vais aller nous préparer une bonne portion de barbe à papa, question de terminer cette journée en beauté!

~ 22 h 16 ~

OMG! On s'est fait voler la machine à barbe à papa!! Je ne la trouve nulle part. Laurie va m'en vouloir à mort!!! Il faut que j'aille avertir papa pour qu'il m'aide à la trouver!

~ 22 h 24 ~

OH NON!!!!!!!!! Papa ne sort plus avec Laurie! Ils se sont laissés ce soir!!! Laurie est venue à la maison pendant que j'étais chez Anna et ils se sont disputés. (À propos de quoi, je ne suis pas arrivée à le savoir, car papa est resté muet comme une carpe. Ça doit être de sa faute…)

Et le pire, c'est qu'elle est repartie avec… OUI, EXACTEMENT! Avec la machine à barbe à papa!!!!!!!!!

Mais qu'est-ce que je vais devenir, sans elle??? (Sans la machine, et non sans Laurie, je veux dire…)

Dimanche 26 avril

~ 11 h 22 ~

Je n'arrive toujours pas à croire ce qui se passe… On a perdu un gros morceau, il faut bien l'avouer…

Je suis dans tous mes états. Je vais avoir besoin d'un remontant, si je veux réussir à faire le deuil de cette machine tant aimée… Mais rien ne pourra jamais la remplacer dans mon cœur.

~ 11 h 46 ~

Je ne vais toujours pas mieux. Je me sens dépressive. Peut-être que je fais bel et bien une dépression ? C'est possible d'en faire une, à mon âge ? Sûrement… Mais peut-être pas à cause d'une machine à barbe à papa.

Je vais essayer de trouver les étapes du deuil, sur Internet. Ça pourrait m'aider…

~ 12 h 59 ~

Fred dit que je suis ridicule. Que celui qui a vraiment de la peine, c'est mon père. De quoi il se mêle, lui ?! Si je dis que je me sens vide, à l'intérieur, c'est que c'est la vérité !

Avec mes frères, j'ai toujours l'impression de passer pour la bizarroïde de la famille et c'est total exaspérant!

~ 13 h 18 ~

Tu ne devineras jamais qui vient de m'appeler... Bon, ce n'est pas le coup de fil en soi qui m'a virée à l'envers, mais le fait que la personne qui l'a donné s'en vienne ici. Chez moi. Là. Tout de suite!

FLORIAN! Et il est à moins de vingt minutes de chez moi, à l'hôtel. Avec ma mère et Harold. Parce que... et c'est là que je sens que les choses vont changer pour moi...

MA MÈRE REVIENT VIVRE AU QUÉBEC! Elle n'a pas pu refuser un contrat à Montréal et elle s'installe ici pour la prochaine année!!!!!!

JE VAIS REVOIR MA MÈRE! JE VAIS REVOIR MA MÈRE! Dès que je le veux, autant que je le veux, et pas seulement sur Skype! C'est trooooooop coooooooooool!

Sauf que... ben, Florian vient vivre ici, lui aussi. Et il ne sait pas encore que je sors avec Colin. Alors il s'en vient me demander de revenir en couple avec lui...

Je n'ai pas été capable de lui dire non au téléphone. De toute manière, je n'ai pas eu le temps,
car c'est à peine si on s'est parlé. Il m'a annoncé la
grande nouvelle avant de tendre le combiné à ma
mère, qui a confirmé le tout. Et comme il est parti
depuis environ dix minutes, il doit être sur le bord
de sonner à ma porte…

~ 14 h 02 ~

Ils viennent de repartir… Quand je dis
« ils », je parle de Florian ET de Colin…

Parce que peu de temps après l'arrivée de
mon ex-*chum*, c'est Colin qui est venu sonner chez
moi. Il avait un cadeau dans les mains. Pour moi.
Dès que mon père l'a fait entrer, il est venu nous
rejoindre dans le salon, mais quand il a aperçu
Florian, il a perdu son sourire.

Florian, lui, s'est simplement levé pour le
saluer et lui serrer la main. Je ne savais plus où
me mettre. Alors Colin est venu vers moi et il m'a
donné le paquet-cadeau. Pour ensuite s'asseoir
juste à côté de moi. Collé, genre…

Il a passé la main par-dessus mon épaule.
Comme si ce n'était pas encore assez évident, il
m'a prise par le cou et a déposé un long baiser
sur mes lèvres. Quand il m'a relâchée, je me suis

tournée vers Florian, qui n'avait pas dit un seul mot durant la petite scène de Colin.

Mais il ne s'est pas gêné par la suite... Ça ressemblait un peu à ça :

FLORIAN : WHAT! This is a joke or what? Vous êtes ensemble ? **I mean, together? Really? Baby...** Dylane, tu ne peux pas me laisser pour sortir avec lui ! C'est... c'est ton **best friend !** Tu me le disais **all the time. You said you could never** être avec lui !

MOI : Je n'ai jamais dit un truc pareil ! Colin, je te jure, je n'ai pas DIT ÇA !

COLIN : De toute manière, je ne vois pas pourquoi tu aurais dit ça. Surtout depuis qu'on s'est embrassés l'automne dernier...

FLORIAN : Vous vous êtes embrassés ?! Dylane, tu m'as trompé, c'est ça ?!

MOI : NON !!! Je ne t'ai pas trompé !

FLORIAN : Mais tu m'as laissé pour lui !

Moi : NON PLUS ! **Cream puff!** Laisse-moi juste t'expliquer !

FLORIAN : Forget it ! Ça ne sert à rien ! **I was so happy to move here**...

COLIN : Quoi ? Il a dit qu'il déménageait ici ? C'est ça ?

Moi : Ouin, ma mère revient au Québec. C'est... c'est une bonne nouvelle, non ?

Les deux gars sont restés un moment silencieux. Florian a secoué la tête et s'est levé. Il m'a saluée une dernière fois en disant qu'il me téléphonerait cette semaine. Puis, il est retourné à l'hôtel en vitesse.

Colin s'est décollé et a fixé le vide de longues secondes. Il avait les lèvres serrées. Avant que je me décide à parler, il a prétexté qu'il devait aller promener son chien. (Excuse bidon !) Je crois qu'il n'arrivait pas à digérer le fait que mon ex habite

près de chez moi. C'est lui, désormais, qui est jaloux !

Après leur départ, je suis allée dans ma chambre avec mon cadeau non déballé. Comme j'étais tout de même un peu curieuse, je me suis empressée d'enlever le papier et j'ai senti mon cœur se gonfler en découvrant de quoi il s'agit.

Colin, il sait toujours comment me remonter le moral. Et une fois encore, il y est parvenu. Je vais tout de suite l'appeler pour le remercier... Parce que je sens qu'il y a un froid entre nous. Et je n'aime pas ça.

~ 14 h 47 ~

Colin n'était pas là. Je vais aller voir par la fenêtre si je ne le vois pas passer avec son chien. C'est peut-être vrai, après tout, qu'il devait aller le promener.

~ 15 h 01 ~

Je viens de l'apercevoir au coin de la rue. Avec son chien. Et Justine Lagacé ! Elle est tout le temps dans les parages, elle. Grrrrr. Il faut que j'envoie un texto à Colin pour lui dire merci, même si je n'en ai plus du tout le goût...

Merci pour le cadeau.

Si tu veux, je vais t'attendre avant de l'utiliser...

Non, c'est bon, tu peux en faire sans moi.

Sérieux ?

Té ben plate !

Tu fais koi ?

Je promène mon chien.

Je te l'ai dit tantôt.

Ah...

Té tout seul ?

Ben non.

Y a moi, pis mon chien.

Juste vous deux ?

Oui, juste nous deux.

Sûr ?

Té ben gossante !

Avec qui tu veux que je sois ?

AVEC JUSTINE LAGACÉ !!!

Je vous ai vus, par ma fenêtre !!!

Té juste un menteur et ça ne me tente pas de sortir avec un menteur, tu sauras !

Elle vient de partir !

Je ne suis pas un menteur !

Cé toi qui m'as raconté des mensonges à propos de ton ex !

Il ne savait même pas pour nous deux !

Je n'étais pas obligée de lui dire !

Il habite à New York !

On s'en fiche, de lui !

Plus maintenant !

Il va habiter à deux coins de rue et il va essayer de revenir avec toi, c'est clair !

Je suis capable de dire non !

...

Tu ne me crois pas ?

Dans ce cas-là, va donc la rejoindre, ta Justine Lagacé !

Moi, je n'en ai plus rien à faire, de toi !

Tu n'en as plus rien à faire ?

Sérieux ?

Tu veux casser ?

Je pense que c'est ce qu'il y a de mieux à faire !

 ...

Avril

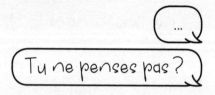

L'abonné que vous tentez de joindre s'est déconnecté.

Oh non…

Qu'est-ce que je viens de faire là ?

J'ai laissé Colin. Sur un coup de tête…

Je lève la tête et croise mon reflet dans le miroir, les yeux pleins d'eau. Et juste à côté du miroir, il y a le cadeau qu'il m'a donné et que j'ai déposé sur le meuble : une superbe machine pour faire du popcorn au caramel…

Mardi 28 avril
~ 19 h 12 ~

Pas moyen de parler avec Colin à l'école pour nous réconcilier… Il m'évite (il est vraiment bon à ce petit jeu!) et je ne le croise même pas dans les corridors.

Je me sens super mal. Si au moins il répondait à mes courriels…

Jeudi 30 avril

~ 7 h 03 ~

C'est la pire journée de ma vie… Je ne dormais plus, ce matin, alors je suis allée faire un tour sur la page Facebook de Colin, mais c'est à peine s'il y avait des changements. Après, je ne sais pas ce qui m'est passé par la tête, mais j'ai voulu aller voir celle de Justine Lagacé.

Et c'est là que j'ai vu l'impensable… et que mon cœur s'est brisé en mille morceaux.

Elle venait de changer son statut pour passer de célibataire à en couple.

C'est officiel, elle sort sûrement avec Colin…

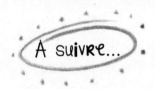

À suivre…